이 세상에 존재하는 모든 꽃들은
사랑의 아픔과 연계해서 태어난다.

이 세상에 존재하는 어떤 인간도
사랑 없이는 행복할 수 없다.

사랑하라는 말은 행복하라는 말과 동일하다.

여자도 여자를 모른다

이외수의 소통법

여자도 여자를 모른다

정태련이 그리고 이외수가 쓰다

해냄

여자,

은하계를 통틀어 가장 난해한 생명체다.

2

$24G!(x30)+78ft(3/1M)=∫6洼12CN∞륔^3$

이건 무슨 외계문자가 아니라 여자를 나타내는 공식이다.

누가 만들었느냐,

격외옹(格外翁)이라는 노인이 만들었다.

격외옹은 류근이라는 시인이 이순에 접어든 어느 소설가에게 붙여준 별호다. 격식을 버리고 살아가는 노인이라는 의미가 담겨 있다.

그 노인은 30여 년 동안 춘천에서 시정잡배를 자처하면서 살다가 최근 화천군 상서면 다목리에 소재한 감성마을 외딴집으로 이사를 해서 시간의 옆구리를 바느질하는 재미로 살고 있다.

3

　화천은 대한민국에서 산소가 가장 청정한 지역으로 알려져 있다.

　지역 주민들은 외지 사람들에게 '화천에는 일급수에만 서식하는 산천어가 살고 있기는 하다, 하지만 화천에는 정작 일급수가 존재하지 않는다'는 농담을 일삼곤 한다. 화천에 존재하는 모든 물은 일급수가 아니라 특급수라는 것이다. 감성마을에 격외옹의 거처를 마련해 준 정갑철 화천 군수는 한술 더 떠서 화천에 서식하고 있는 파리 모기들조차도 모두 무공해라는 농담을 서슴지 않는다.

4

　특히 감성마을은 달빛 청정구역으로 알려져 있다.

　밤이면 유난히 많은 별들이 하늘 가득 흩어져 반짝거린다. 어찌나 영롱하게 반짝거리는지 잠시만 쳐다보고 있어도 안구가 따가울 지경이다. 이따금 바람이라도 스쳐가면 하늘이 소스라치면서 별들이 우수수 떨어져 내린다. 그러면 노인의 문하생들이 떨어진 별들을 한 바구니씩 주워서 술을 담그기도 한다. 하늘의 꽃으로 담근 술이라 하여 천화주(天華酒)라는 이름이 붙여졌다. 골수독자들이나 시인묵객들이 찾아오면 술 한 잔에 시 한 수를 건네면서 밤을 지새우기도 한다.

감성마을은 반선반속(半仙半俗)의 공간이다. 반은 선계(仙界)에 속해 있고 반은 속계(俗界)에 속해 있다. 자연을 사랑하고 예술을 사랑하는 사람이면 누구나 드나들 수 있지만 종신출입금지자로 분류되는 족속들은 죽을 때까지 발을 들여놓을 수 없다는 단서가 붙어 있다. 전쟁을 좋아하는 족속들, 자연파괴를 일삼는 족속들, 역사를 왜곡하는 족속들, 예술을 천시하는 족속들은 입구에서부터 출입이 통제된다. 서울에서 대략 두 시간 거리. 그러나 네비게이션에는 포착되지 않는다.

　각설하고,

$$24G!(x30) + 78ft(3/1M) = \int 6\underline{\text{洼}}12CN\infty \text{뤽}^3$$

　여자를 나타낸다는 저 괴이한 공식은 어떻게 풀어야 하는가.

　결론부터 말하자면 아무도 풀 수가 없다.

　저 공식을 만든 격외옹에게 물어보아도 마찬가지다. 절대로 해답을 얻어낼 수가 없다.

　여자는 그렇다.

　단언컨대 스티븐 호킹이라 하더라도 여자를 공식화하지는 못한다.

　오로지 우주만물을 창조하신 하나님께서만 아실 일이지만 그분은 또 얼마나 성품이 과묵하시던가.

사랑의 씨앗이 발아하지 않으면
축복의 비도 내리지 않는다.

아시다시피 손자병법에는 지피지기(知彼知己)면 백전백승(百戰百勝)이라는 가르침이 들어 있다. 상대를 알고 나를 알면 백 번 싸워도 백 번 다 승리할 수 있다는 말이다.

하지만 여자에게는 통용되지 않는 말이다.

만약 그대가 남자라면, 그리고 한 여자와의 사랑에 승리할 목적으로 여자를 탐구하기 시작했다면, 일찌감치 포기하라고 충언해 주고 싶다.

여자는 결코 알 수 있는 대상이 아니다. 부디 탐구하지 말고 그저 모르는 상태로 무조건 사랑하라. 물론 모르기 때문에 실패할 확률이 높다. 하지만 레드카드가 무서워 축구를 그만 두는 축구선수를 본 적이 있는가.

무조건 사랑하라.

사랑이 그대의 인생을 눈부시게 하리라.

비록 그대가 심판으로부터 납득할 수 없는 레드카드를 받고 축 늘어진
어깨로 그라운드에서 퇴장 당하는 한이 있더라도 일단은 사랑하라.

세상에는 슬픔 없이 벙그는 꽃이 없고
아픔 없이 엉그는 열매가 없다.

세상풍파에 시달리다 가슴이 척박해진 사람들은 사랑이라는 말만 들어도, 우라질 놈의 사랑이 밥을 먹여주더냐 돈을 벌어오더냐, 제발 정신 좀 차리라고 핀잔을 늘어놓는다.

마치 사랑을 정신 나간 놈들이나 철딱서니 없는 놈들이 가지고 노는 장난감으로 단정해 버린 듯한 어투들이다.

그러나 돼지는 밥만 먹고 살아갈 수 있는 동물이지만 사람은 밥만 먹고 살아갈 수 없는 동물이다. 모름지기 인간으로 태어났다면 적어도 돼지와는 격이 다르게 살아야 하지 않겠는가.

물론 먹고사는 일은 중요하다.

도대체 어떤 민족이 먹지 않고 생명을 보존할 수 있단 말인가.

그러니까 역사가 깊은 민족일수록 다양한 음식문화를 간직할 수밖에 없다.

대한민국은 유구한 역사와 전통을 자랑한다. 그래서 음식으로 만들어 먹을 수 없는 물질이 존재하지 않는다. 식물성이나 동물성은 당연지사고 광물성도 음식으로 만들어 먹는다. 고려시대에는 진흙의 일종인 백토(白土)로 국수를 만들어 먹었다는 기록까지 전해져 오고 있다. 특히 정력에 좋다고 소문난 생명체들은 멸종위기가 도래할 때까지 먹어 치운다. 아마 대한민국 사람들만큼 '먹는다'는 표현을 다양하게 활용하는 민족은 지구상에 존재하지 않을 것이다.

저놈이 겁을 집어먹었다.

떨한 골키퍼가 알까기로 한 골을 먹었다.

엄마, 나 챔피언 먹었어.

그토록 순진한 놈을 등쳐먹다니.

모시적삼에 풀을 먹인다.

한지에 물감을 먹인다.

연줄에 유리가루를 먹인다.

무가 바람을 먹었다.

똥꼬가 바지를 먹었다.

애를 먹었다.

욕을 먹었다.

뇌물을 먹었다.

충격을 먹었다.

삼촌이라는 작자가 조카의 재산을 꿀꺽 집어 삼켰다.

나이를 서른 살이나 처먹고도 밥벌이를 못 하다니.

마음을 굳게 먹었다.

눈물을 삼킨다.

분노를 삼킨다.

펀치를 먹인다.

꿀밤을 먹인다.

더위를 먹었다.

그 새끼가 나를 엿먹였다.

나만 보면 언제나 눈이 게슴츠레해지는 옆집 여자를 마침내 따먹고야
말았다.

여자는 결코 알 수 있는 대상이 아니다.
부디 탐구하지 말고
그저 모르는 상태로 무조건 사랑하라.

12

앞에 열거한 '먹는다'들은 음식물과는 전혀 상관이 없는 것들이다.

한국사람이 창시한 어떤 신흥종교는 구약성서의 '선악과를 따먹었다'를 '아담이 이브를 따먹었다'로 해석하기도 한다. '먹는다'에 대한 표현방식이 다양하다는 사실은 고무적이지만 지나치게 먹는 일에만 골몰하는 민족으로 오해될 소지도 없지는 않다.

13

오늘날 인터넷에 들어가 보면 동물들을 무색케 만드는 성문화가 발악적이면서도 변칙적으로 번성하고 있음을 쉽게 간파할 수 있다. 여자들이 남자들의 자위를 대신해 주는 대딸방이 성행하고 심지어는 인형과의 성행위를 제공하고 돈을 받는 업소까지 생겼다. 여중생이나 여고생들이 용돈을 벌기 위해 키스알바를 하거나 알몸채팅을 불사하는 풍조도 확산되고 있다.

세상이 이상해졌다.

오늘날은 섹시하다는 말이 여자들에게 아무 거리낌없이 받아들여진다. 거리낌은커녕 오히려 그 말을 칭찬으로 받아들이는 눈치들이다. 그 말은 사전적으로 외모나 언행에 성적 매력이 있다는 뜻으로 쓰여진다. 천박한 생각만 하고 사는 남자들의 천박한 표현을 빌면 '먹음직스럽다' 또는 '박음직스럽다'에 해당한다.

비록 그대가 심판으로부터
납득할 수 없는 레드카드를 받고
축 늘어진 어깨로 그라운드에서
퇴장 당하는 한이 있더라도
일단은 사랑하라.

15

　남자의 눈으로 바라보면 여자는 얼마나 표리부동한 동물인가.

　이따금 여자들은 팬티가 드러나 보일 정도로 아슬아슬한 미니스커트를 입고 거리를 활보한다. 그러면서도 간혹 남자들이 목마른 눈빛으로 자기들의 허벅지를 훔쳐보면 이내 혐오감이 서린 표정으로 불쾌감을 드러낸다.

16

　성희롱이 증가하고 성폭력이 증가한다.

　어떤 여자들은 팬티가 드러나 보일 정도로 아슬아슬한 미니스커트를 입고 다니는 이유가 남자들의 성욕을 자극시키기 위해서가 아니라 자신들의 존재감을 충족시키기 위해서라고 주장한다. 하지만 지구상에 남자가 한 명도 존재하지 않는 시대가 온다면 그때도 여자들이 팬티가 드러나 보일 정도로 아슬아슬한 미니스커트를 입고 거리를 활보할까. 그때도 거금을 들여 얼굴을 성형하는 열성을 보일까.

하지만 남자들이여 각별히 경계하라.

여자들의 '섹시한 여자로 보이고 싶다'를 단순하게 '먹음직스러운 여자로 보이고 싶다'나 아니면 '박음직스러운 여자로 보이고 싶다'로 해석하면 성희롱이나 성폭력으로 쇠고랑을 차고 감옥으로 직행할 가능성이 농후하다.

그대가 남자라면 여자들의 '섹시'를 절대로 '색시(色示)'하지 말라. 그것이야말로 패가망신의 지름길이다.

18

성욕을 촉발시키는 쪽은 무죄고 성욕을 분출시키는 쪽은 유죄인가.

그렇다.

부정하고 싶다면 여자가 한 명도 없는 공간에서 혼자 부정하라.

그러지 않으면 지구가 멸망할 때까지 논쟁은 종식되지 않을 것이다.

19

　여자는 자신이 '먹고 싶은 대상'으로 보여지는 현상에 대해서는 관대하지만 '싸고 싶은 대상'으로 보여지는 현상에 대해서는 절대로 관대하지 못한 성정을 가지고 있다. 여자는 자신을 배설의 대상으로 보고 껄떡거리는 남자를 만나면 혐오의 눈빛을 보내고 자신을 연모의 대상으로 보고 굽실거리는 남자를 만나면 냉소의 표정을 짓는다. 전자는 진심에 가깝지만 후자는 내숭에 가깝다.

　격외옹의 말이다.

무조건 사랑하라.
사랑이 그대의 인생을 눈부시게 하리라.

인간은 자신들을 만물의 영장으로 자처한다.

왜 자신들이 만물의 영장이라는 우월감을 가지게 되었을까. 만물 중에서 아이큐가 제일 높기 때문일까. 유일하게 문자를 만들어 쓸 수 있기 때문일까. 만물을 한순간에 모조리 작살내버릴 수 있는 무기를 보유하고 있기 때문일까. 그도 저도 아니면 다른 동물들은 발정기 때만 성교를 할 수 있는 성기를 보유하고 있지만 인간은 아무 때나 성교를 할 수 있는 성기를 보유하고 있기 때문일까.

개뿔.

그런 것들은 진짜 이유에 비하면 모조리 개뿔이다.

인간이 만물의 영장이라고 자부할 수 있는 진짜 이유는, 지구에 현주소를 가지고 있는 존재들 중에서 오직 인간만이 만물을 사랑할 수 있는 가슴을 간직하고 있기 때문이다.

　그대가 인간임을 자처하면서도 만물을 사랑할 수 있는 가슴을 간직하고 있지 않다면 아직은 만물의 영장이라는 자부심을 가질 자격이 없다. 기분은 약간 나쁘더라도 그저 인간의 껍질을 뒤집어쓰고 있다는 자부심 하나로 만족하라.

　모름지기 인간이라는 이름으로 태어나서, 같은 인간들에게 툭하면 개만도 못한 놈 소리를 듣거나 뻑하면 벌레만도 못한 놈 소리를 들으면서 살아간다면, 도대체 그대의 인생을 견생(犬生)이라고 해야 마땅한가 충생(蟲生)이라고 해야 마땅한가.

여자는 자신을 배설의 대상으로 보고
껄떡거리는 남자를 만나면
혐오의 눈빛을 보내고
자신을 연모의 대상으로 보고
굽실거리는 남자를 만나면
냉소의 표정을 짓는다.

　그대가 인간으로서의 품위를 유지하고 싶다면 속물근성부터 버리도록
하라.

　속물근성은 인간의 품위를 가장 저급한 수준으로 전락시키는 최악의 질
병이다. 그놈의 속물근성이 인간을 개같이 보이도록 만들거나 벌레같이
보이도록 만든다.

　속물근성은 가문과도 무관하고 학벌과도 무관하다. 재산과도 무관하고
직급과도 무관하다. 어디에 가치관을 두고 살아가는가에 따라 면역성이
달라진다. 그대가 정신보다는 물질에 터무니없는 가치를 부여하고 내면보
다는 외형에 지나친 관심을 기울인다면 일단 속물근성에 대한 면역성이
약한 인간이라고 판단해도 무방하다.

속물근성에 노출된 사람들은 절대로 자신의 속물근성을 부끄럽게 생각지 않는 증상을 나타내 보인다. 타인의 시선 따위는 안중에도 없다. 오로지 자신의 주관대로만 살아간다. 양심도 중요하게 생각지 않고 교양도 중요하게 생각지 않는다. 대부분 인간의 외형을 가지고 있지만 내면에는 여러 가지 축생들이 도사리고 있다. 난치병이다. 아직 특효약은 개발되지 않았다. 동사무소에 사망신고서를 제출할 때까지 치료되지 않는 경우도 있다. 그러나 불치병은 아니다.

결혼 적령기에 이른 여자 하나가 탁자를 사이에 두고 남자 하나와 마주 앉아 있다. 여자의 머릿속에 수많은 단어들이 떠오른다.

꽃다발.

다이아몬드.

호화 별장.

샤넬.

요트.

모피코트.

파텍스.

페라리.

루이비통.

푸아그라.

라플레르.

남자로부터 받고 싶은 선물들이다. 여자는 앞에 앉아 있는 남자가 그다지 중요하다고는 생각지 않는다. 그것들을 모두 선물해 줄 수만 있다면 어떤 남자라도 상관이 없다고 생각한다. 속물이다.

결혼 적령기에 이른 남자 하나가 탁자를 사이에 두고 여자 하나와 마주 앉아 있다. 남자의 머릿속에 단어 하나가 명료하게 붙박여 있다.

Sex.

남자는 크리넥스 한 장을 들어올릴 기력만 남아 있어도 이 단어를 떠올리는 습성을 가지고 있다.

역시 속물이다.

그대가

인간으로서의 품위를 유지하고 싶다면

속물근성부터 버리도록 하라.

모든 여자는 예뻐지기를 열망한다.

'예뻐지기'는 모든 여자들의 지상명제다.

대한민국은 세계 유일의 분단국가다. 그러나 남북통일은 대한민국 여자들의 첫 번째 소원이 아니다. 만약 시험에 예뻐지기와 남북통일, 두 가지 예문이 제시된다면 남북통일이 첫 번째 소원이라고 동그라미를 치겠지만 그건 여자의 본심과는 다르다고 판단해야 한다.

극단적으로 말해서, 여자는 목매달아 죽고 싶어도 예쁜 밧줄이 없으면 목매달아 죽을 수가 없다고 생각하는 족속들이다. 한 마디로 여자는 죽어서까지 예뻐 보여야 한다는 강박관념을 버리지 못하는 속성을 가지고 있다.

28

왜 여자는 죽어서까지 예뻐 보이고 싶어하는 것일까.

예쁘다는 것은 아름답다는 것과 동일하다. 인간은 어떤 경우에도 아름답지 않은 대상을 사랑할 수는 없다. 그러니까 죽어서까지 예뻐지고 싶다는 열망은 죽어서까지 사랑받고 싶다는 열망과 동일하다.

29

인간들은 자고 이래로 여자를 꽃으로 비유하기를 서슴지 않았다.

꽃은 아름다움의 대명사다.

자신의 미모를 꽃으로 비유했을 때 반감을 표명하는 여자는 없을 것이다. 물론 할미꽃이나 호박꽃으로 비유했을 경우는 예외다. 하지만 자세히 들여다보면 할미꽃도 아름답고 호박꽃도 아름답다.

나도 허리 굽은 그 나이까지 꽃이 될 수 있을까.

(李外秀의 詩「할미꽃」全文)

죽어서까지 예뻐지고 싶다는 열망은

죽어서까지 사랑받고 싶다는 열망과 동일하다.

31

모든 꽃들이 시가 되고 모든 여자들이 시가 된다.

하지만 오늘날은 진정한 아름다움이 외모에서 비롯되는 것이 아니라 내면에서 비롯된다는 사실을 알고 있는 여자가 드물다. 그래서 시가 되는 여자도 드물다.

수많은 여자들이 진실한 사랑을 촉발시키는 아름다움이 무엇인지를 모르는 양상을 나타내 보인다. 대다수가 물질만능주의와 외모지상주의에 영혼을 저당 잡힌 채 외모를 치장하는 일에 여념이 없다. 남자를 평가할 때도 심성이나 가치관은 중시하지 않는다. 외모와 재산과 가문과 학벌을 평가의 기준으로 삼는다. 네티즌들은 이런 여자들을 된장녀라고 부른다.

그녀들은 실연을 당해도 자신의 외모 때문이라고 생각하고 실직을 당해도 자신의 외모 때문이라고 생각한다. 세상의 모든 남자들이 여자의 가치를 외모로만 판단한다고 생각한다. 그래서 지성이나 교양 따위는 안중에도 없다. 당연히 도서관에 앉아 있는 시간보다는 미용실에 앉아 있는 시간이 훨씬 더 많다.

　그런 여자들일수록 자연적인 아름다움을 경시하는 성향이 있다. 그래서 오로지 인공적인 아름다움으로 자신을 치장하기에 여념이 없다. 쌍꺼풀수술은 기본이고 지방흡입수술이나 유방확대수술 정도는 필수로 생각한다. 거액을 들여서 코뼈를 높이거나 턱뼈를 깎는 일도 불사한다. 뿐만 아니라 명품으로 자신을 치장해야만 아름다움이 배가된다는 미신에 사로잡혀 있다. 집안 사정은 고려치도 않고 명품을 구입하기 위해 무분별하게 카드를 남발하거나 사채를 얻어 쓰는 일도 서슴지 않는다. 중독상태에 돌입하면 명품구입비를 마련하기 위해 닥치는 대로 몸을 파는 행위도 불사한다.

위장된 자태에 속아서 그런 여자들까지 꽃으로 비유해서는 안 된다.

그런 여자들까지 꽃으로 비유한다는 사실은 꽃에 대한 일종의 모독이다. 굳이 꽃으로 비유하자면 그런 여자들은 플라스틱 가화(假花)에 해당한다. 플라스틱 가화는 겉으로 보기에는 화사해 보이지만 내면에 간직된 향기가 없다. 간혹 정신 나간 벌나비가 속아서 날아오기는 하지만 절대로 오래 머무르는 법이 없다. 그러니 진정한 사랑도 기대할 수가 없다.

진정한 아름다움이
외모에서 비롯되는 것이 아니라
내면에서 비롯된다는 사실을
알고 있는 여자가 드물다.
그래서 시가 되는 여자도 드물다.

35

그대가 남자라면 외모지상주의나 물질만능주의에 사로잡혀 있는 여자들을 경계하라.

어쩌다 그런 여자와 결혼이라도 하게 되면 그대의 인생길은 군대시절 야간 산악행군처럼 고달플 수밖에 없을 것이다. 날마다 부부싸움으로 전우애를 다지면서 살아가겠다는 각오가 되어 있다면 말뚝을 박아도 상관이 없겠지만 날마다 깨가 쏟아지는 부부애로 백년해로하겠다는 희망을 간직하고 있다면 일찌감치 탈영을 감행하라.

세상에는 된장녀만 있는 것이 아니라 된장남도 있다.

된장남들은 아직 자립하지 못한 상태로 부모에게 용돈을 타 쓰면서 살아간다. 열등감이 일용할 양식이다. 별다른 특기나 소질도 없다. 있다고 하더라도 이력서에 명기하면 점수를 깎아 먹을 것들뿐이다. 특기 악플달기, 취미 야동수집. 그들이 즐겨 쓰는 용어로 표현하면 그야말로 캐안습이다.

하지만 자존심 하나는 타의 추종을 불허한다. 인터넷에 들어가 야동을 보면서 자위를 일삼거나 같은 부류들끼리 저질 커뮤니티를 장악하고 세상을 원망하거나 타인을 비방하는 일로 존재감을 드높인다.

된장녀와 마찬가지로 정신보다는 물질을 중시하는 성향이 있다. 대부분이 솔로다. 밸런타인데이나 화이트데이가 되면 극심한 우울증에 빠지는 성향이 있다. 간혹 외출하면 스타벅스의 커피 한잔으로 뉴요커가 된 듯한 착각에 사로잡히기도 한다.

대부분 책보다 술이 유익하다는 신념을 버리지 못한다. 포부는 언제나 하늘을 찌르는데 노력은 언제나 방바닥에 붙어 있다. 로또가 인생의 유일한 희망이다. 어떤 여자도 연애감정을 느끼지 못하게 만드는 신비적 요소를 간직하고 있다.

그대가 여자라면 이런 남자들을 경계하라.

어쩌다 이런 남자와 결혼이라도 하게 되면 특별한 이변이 없는 한 그대의 인생은 눈보라가 휘날리는 바람찬 흥남부두의 금순이 꼴로 전락할 가능성이 높다.

그러나 남편에게 바가지를 긁어대는 일을 인생의 유일한 즐거움으로 생각하는 여자라면 천생연분이다. 이런 남자는 대개 하루에도 수십 건씩 바가지를 긁어댈 수 있는 소재를 창출하는 능력을 가지고 있으니까.

인터넷을 떠도는 유머 하나.

어떤 의사가 많은 사람들 앞에서 건강에 대한 강연을 하고 있었다.

'음식물이 건강에 악영향을 미치는 경우가 있습니다. 특히 고지방 식단은 파멸을 초래할 우려가 높습니다. 때로는 물도 잘못 마시면 장기적으로 몸에 악영향을 미치게 됩니다. 우리가 먹었거나 먹을 음식 중에서 가장 위험한 음식이 있습니다. 먹으면 오랫동안 슬픔과 고통을 느끼게 만드는 음식입니다. 무엇일까요'

잠깐 침묵이 흐른 후 앞줄에 앉은 한 노파가 손을 들고 조용히 대답했다.

'웨딩케이크요'

된장남을 언급한 부분에 이르러 심기가 몹시 불편한 남자가 있다면 된
장남이거나 된장남이 될 소지를 간직한 남자일지도 모른다.

그러나 된장남이라 하더라도 아직 미혼이라면 절망하기는 이르다.

격외옹은 말한다.

어떤 일에건 사심 없이 십 년만 투자하라.

십 년 동안 사심 없이 병뚜껑만 수집해도 저절로 철학이 생기고 운명이
변하고 세상이 그대를 주목하는 성과를 얻을 것이다. 당연히 여자들로부
터 추앙을 받을 수도 있을 것이다.

고작 병뚜껑 따위에 십 년이라는 세월을 낭비하고 싶지 않다는 생각을
버려라. 아무리 하찮은 것들이라도 사랑의 매개체로 존재하지 않는 미물
은 없나니, 언제나 그대를 낮추고 한없이 겸손한 마음으로 만물을 대하면
누구든 십 년 이내에 성인(聖人)의 반열에 오르게 되리라.

그러나 결혼한 남자라면 십 년씩이나 병뚜껑을 주우러 다니는 남편을
그냥 내버려둘 아내가 있을지 의문이다.

외로움을 겁내지 말라.

그대가 어디서 무엇을 하더라도 그대의 뼈저린 외로움은 물리칠 방도가 없으리니.

외로움은 평생의 동반자, 비록 그대가 마침내 성인의 반열에 오른다 하더라도 그놈은 한평생 그대 곁을 떠나는 법이 없으리라.

하찮은 것들이라도
사랑의 매개체로 존재하지 않는
미물은 없나니

중년 남자 하나가 중학교에 다닌다는 아들을 데리고 감성마을을 찾아와
서 격외옹에게 물었다.

'이 아이를 장차 세상을 변화시킬 큰 인물로 키우려면 부모로서 어떻게
가르쳐야 합니까'

격외옹이 대답했다.

'자신이 변해야 세상이 변한다는 사실을 먼저 가르치시게'

42

　비록 지금은 그대가 세상으로부터 손가락질 받는 찌질남이거나 된장녀
라 하더라도, 그래서 이성으로부터 전혀 관심의 대상이 못 되더라도 아직
절망하기는 이르다.

　때로 사랑은 예고편도 없이 막을 올리기도 한다. 전혀 예기치 못했던 시
간, 전혀 예기치 못했던 장소에서 사랑은 불쑥 그 모습을 드러내기도 한다.

사랑은

예고편도 없이

막을 올리기도 한다.

초겨울의 거리, 그대가 헐벗은 가로수들 사이를 홀로 걷고 있을 때, 불현듯 한 여자의 모습이 떠오른다. 그 순간 그대 가슴 밑바닥에 모과열매 하나가 툭 하고 떨어져 내리는 소리가 들린다면, 그것을 사랑의 시작이라고 생각해도 무방하다.

한여름의 버스정류장, 그대는 불볕더위 속에서 버스를 기다리고 있다. 갑자기 심하게 목이 마르다. 그 순간 평소 알고 지내던 남자 하나가 어디선가 나타나 냉각된 캔커피 하나를 말없이 그대에게 내밀고 사라진다. 그 남자의 뒷모습을 보면서 갑자기 그대 늑골 속이 환하게 밝아진다면 그것을 사랑의 시작이라고 생각해도 무방하다.

약속 없이 거니는 광장의 시계탑, 거기 슬프도록 투명한 가을 햇살이 도금되어 있고, 다리가 하나밖에 없는 비둘기가 활발하게 움직이는 동료들 속에서 힘겹게 먹이다툼을 벌이는 광경을 목격했을 때.

소문을 듣고 처음 찾아간 식당, 혼자 비싼 음식을 시켜 먹고 계산을 하기 위해 호주머니를 뒤지다 망연자실, 지갑을 가지고 나오지 않았다는 사실을 확연히 깨달았을 때.

홀로 떠난 여행길, 무심코 차창 밖으로 고개를 돌렸는데, 먼 산머리로 날은 저물고 놀빛 하늘이 강물처럼 범람하고 있을 때.

함박눈이 내리는 거리, 특별한 추억도 없이 한 해가 기울고, 행인 하나가 그대 기억 속에서 오래전에 망실되었던 유행가 한 소절을 흥얼거리며 스쳐갈 때.

들리는 모든 것도 보이는 모든 것도 그 사람과는 아무 상관이 없는데, 불현듯 가슴 밑바닥에 형언할 수 없는 슬픔 한 사발이 고여 들면서, 갑자기 그 사람이 못 견디게 보고 싶어진다면, 그대는 이미 사랑을 앓고 있는 것이다.

갑자기 그대 늑골 속이 환하게 밝아진다면
그것을 사랑의 시작이라고 생각해도 무방하다.

처음에 사랑은 유치하게도 복사꽃처럼 눈부시거나 라일락처럼 향기로
운 감성으로 그대의 영혼을 사로잡는다. 그러나 시간이 지나면 오해의 쐐
기풀이 그대 가슴에 무성하게 자라 오르고 번민의 가시덤불이 그대 영혼
에 무시로 상처를 낸다. 그대는 비로소 알게 된다. 사랑은 달콤한 솜사탕
도 아니고 포근한 솜이불도 아니라는 사실을.

사랑은 그대가 단지 한 사람을 마음속에 깊이 간직하고 있다는 죄목 하
나로 아침이면 그대를 문책하고 저녁이면 그대를 고문한다. 그러나 회피
하지 말라. 세상에는 슬픔 없이 벙그는 꽃이 없고 아픔 없이 영그는 열매
가 없다.

46

이 세상에 존재하는 모든 꽃들은 사랑의 아픔과 연계해서 태어난다.

47

한 여자가 사랑 때문에 한 번씩 상처를 받을 때마다 이 세상에 꽃들이
한 송이씩 피어난다.

그 사실을 그대가 모른다 하더라도.

48

한 남자가 사랑 때문에 한 번씩 상처를 받을 때마다 이 세상에 꽃들이
한 송이씩 피어난다.

그 사실을 그대가 믿지 않는다 하더라도.

사랑은
복사꽃처럼 눈부시거나
라일락처럼 향기로운 감성으로
그대의 영혼을 사로잡는다.

49

사랑의 상처는 완전히 아무는 법이 없기 때문에 이 세상의 꽃들도 완전히 자취를 감추는 법이 없다.

50

하지만 사랑 때문에 받은 상처가 고통이라면 아직은 진정한 사랑이 아니다.

예수의 실천적 가르침에 의하면 진정한 사랑은 나 아닌 다른 영혼을 위해 십자가에 못 박히는 기쁨이다. 못 박혀서 피 흘리는 행복이다. 사랑 때문에 받은 상처가 단지 고통으로만 존재한다면 어찌 사랑 때문에 한 번씩 상처를 받을 때마다 이 세상에 꽃들이 한 송이씩 피어날 수 있으랴.

그래서 사랑은 거룩하고 그래서 꽃들은 아름다운 법이다.

51

　진정한 사랑은 예수와 같이 위대한 존재들만 실천할 수 있는 것이 아니다. 인간이라면 누구나 실천할 수 있는 것이다. 예수와 같이 위대한 존재들만 진정한 사랑을 실천할 수 있다면 도대체 범인들에게 종교가 왜 필요하단 말인가.

하나님이 당신의 독생자를 지구로 보내신 이유는 지구인 모두에게 진정한 사랑을 가르쳐 주시기 위함이다. 전인류가 진정한 사랑을 깨닫고 실천해서, 지구 전체가 꽃으로 뒤덮인 행성이 되기를 소망하셨기 때문이다.

하지만 지금은 가화가 만발하는 시대다.

가화가 만발하는 곳마다 가식적인 사랑도 만발한다. 카페에서도 가식적인 사랑이 만발하고 모텔에서도 가식적인 사랑이 만발한다. 거기에는 언제나 가화가 장식품으로 자리잡고 있다.

54

세상이 조금씩 가짜들의 천국으로 변해 가고 있다.

종교 지도자들마저도 사이비들이 부지기수다. 사이비들은 종교의 본질 따위를 중시하지 않는다. 수많은 신도들을 앵벌이로 양산해서 교세를 확장하는 일에만 심혈을 기울인다. 부처님의 자비도 금품으로 거래하고 예수님의 사랑도 금품으로 거래한다. 극락도 상품의 일종이요 지옥도 상품의 일종이다. 수시로 부흥회나 대법회를 열어서 바겐세일을 하기도 한다.

사랑의 상처는
완전히 아무는 법이 없기 때문에
이 세상의 꽃들도
완전히 자취를 감추는 법이 없다.

55

사이비들은 어떤 인간도 부처님이나 예수님처럼 살아갈 수 없다고 단정한다. 인간이 부처님이나 예수님을 닮아가려고 노력하는 행위를 부처님이나 예수님에 대한 모독으로 간주하거나 도전으로 간주한다. 그저 인간은 무지몽매한 청맹과니에 불과하므로 무조건 자신들의 종교를 맹신하라고만 가르친다.

56

사이비들은 가증스럽게도 자비라는 단어나 사랑이라는 단어를 자주 들먹거리기는 하지만 정작 자비나 사랑을 실천하는 일에는 인색하다. 그들은 대부분 '베풀기'를 가르치는 일보다 '바치기'를 가르치는 일에 주력한다. 그들의 절대자인 부처님이나 예수님을 앵벌이 두목으로 전락시키고도 전혀 죄책감을 느끼지 않는다.

어떤 기독교인들은 예수님이 일곱 번씩 일흔 번이라도 용서하라고 가르치셨지만 자신들과 종교적 견해가 다른 인간을 만나면 무조건 마귀로 간주한다. 그래서 예수님의 이름으로 무참히 처단해야만 직성이 풀린다. 그들을 보면 하나님의 독생자가 왜 십자가에 못 박히면서 '주여 저를 버리시나이까'라고 탄식했는지를 비로소 납득할 수 있다.

어떤 불교인들은 탐욕과 성냄을 경계하라는 부처님의 말씀을 마이동풍으로 씹어버린다. 그리고 조폭들까지 동원해서 격렬하게 재산싸움을 벌인다. 때로는 절간을 불바다로 만들거나 피바다로 만드는 만행도 서슴지 않는다. 조폭들이 휘두르는 각목에 이마가 박살난 스님이 피를 철철 흘리면서 혼비백산, 뒷산으로 도망치는 모습이 텔레비전에 방영된 적도 있었다. 불교 신도가 아니더라도 '나무관세음보살'이라는 진언이 절로 읊조려지는 장면이었다.

59

하지만 얼마나 많은 인간들이 사이비 종교 지도자들에게 속아서 인생을 말아먹고 재산을 말아먹는가. 종교는 육안이나 뇌안으로는 진위를 분별할 수 없다. 심안이나 영안을 떠야만 분별할 수 있다.

하지만 한평생 육안이나 뇌안으로만 살아가는 사람들이 이 세상에는 얼마나 많이 산재해 있는가. 그들은 슬프게도 진짜들에게는 의심의 촉수를 곤두세우고 가짜들에게는 신뢰의 눈빛을 던진다.

　내친 김에 교육도 엉덩이를 몇 대 걸어차주고 넘어가자. 대한민국은 현실적으로 교육의 본질을 완전히 상실해 버린 나라다. 어떤 면에서는 학문탐구인지 항문탐구인지 구분이 안 될 지경이다.

　학교는 현실적으로 인간관계를 총체적으로 파괴하는 역할을 담당하는 역기능적 공간으로 변질되고 있다. 교사와 학생, 그리고 학부모는 소통의 단절을 넘어 적대적 관계로까지 발전하고 있다.

　학교폭력.

　사학비리.

　왕따현상.

　인격파괴.

　추억말살.

　개성몰수.

　조기유학.

　대수술이 요구되는 병폐들이 연일 매스컴을 자극하고 있지만 아무도 메스를 집어들지 않는다. 툭하면 입시요강이나 바꾸고 뻑하면 등록금이나 인상하는 방안이 고작이다. 입으로는 교육이 국가백년지대계라고 말하면서 현실적으로는 교육을 국가백년지대개(犬)로 방치해 두고 있는 듯한 양상이다.

홍익인간(弘益人間).

인간을 널리 이롭게 한다는 뜻이다.

국조 단군의 건국이념이자 교육법의 기본정신이기도 하다. 그 속에는 인간을 널리 사랑하자는 의미도 내포되어 있다. 하지만 제도적 교육은 현실적으로 인간을 널리 사랑하기보다 자기 인생 하나 지탱하기도 벅찬 인격체를 양산해 내고 있는 실정이다.

63

가정에서도 학교에서도 진정한 사랑을 가르치는 일 따위는 안중에도 없다. 전세계를 통틀어 대한민국의 부모들만큼 자녀교육에 광적인 열의를 표출하는 부모들을 찾아보기 힘들다.

맹자의 어머니는 자식의 교육을 위해 세 번이나 이사를 감행했다지만 대한민국의 부모들은 자식의 교육을 위해 삼십 번이라도 이사를 감행할 용의가 있다. 하지만 오로지 성적만을 위해서다. 자녀들의 인성이나 소질 따위는 일절 감안하지 않는다. 오로지 성적에만 병적인 관심을 기울인다.

대한민국의 부모들은 '행복은 성적순이 아니잖아요'라는 말을 들으면 겉으로는 수긍하는 척해도 속으로는 경기를 일으킨다. 대한민국의 부모들은 지구가 멸망하는 그날까지 '행복은 성적순'이라는 미신을 타파하지 못할 것이다.

갑자기 그 사람이 못 견디게 보고 싶어진다면,
그대는 이미 사랑을 앓고 있는 것이다.

학교당국도 마찬가지다.

무조건 성적이 우수한 학생이 장래가 촉망되는 학생이라고 단정한다. 그래서 모든 학생이 성적의 노예가 되기를 종용한다. 심청이의 사랑도 춘향이의 사랑도 성적을 올리기 위한 교재에 불과하다. 박목월의 '강나루 건너서 밀밭길을 구름에 달 가듯이 가는 나그네'도 시험문제의 예문에 불과하고, 박재삼의 '마음도 한자리에 못 앉아 있는 마음일 때 친구의 서러운 사랑 이야기'도 시험문제의 예문에 불과하다.

마치 예술이 인간에게 아름다운 정서를 심어주기 위해 존재하는 것이 아니라 수험생들의 두개골을 욱신거리게 만들기 위해 존재하는 것으로 착각하는 것 같다.

고등학생 하나가 감성마을을 찾아와 격외옹에게 물었다.

'학교를 다니기 싫은데 어떻게 할까요'

격외옹이 반문했다.

'왜 학교를 다니기 싫으냐'

'재미가 없어서요'

'이 세상에 존재하는 학교들을 모조리 폭파시켜 버릴 자신이 있냐'

'없는데요'

'그러면 니가 커서 재미있는 학교를 만들어라'

고등학생은 무엇인가를 깊이 생각하는 표정을 짓고 있었다.

격외옹이 덧붙였다.

'그때까지 살아서 니가 만든 학교를 한번 다녀보고 싶다'

한평생 육안이나 뇌안으로만

살아가는 사람들이

이 세상에는 얼마나 많이 산재해 있는가.

　대부분의 고등학교가 문예반도 없고 미술반도 없는 실정이다. 있다고 하더라도 대학입시를 위해서만 명분을 유지한다. 학부모 회의에서 자녀들의 정서함양을 위해 문예반이나 미술반을 부활시켜야 한다는 의견을 제시하는 학부모가 있으면 그는 곧바로 모든 학부모들에게 지탄의 대상으로 지목된다. 이러한 환경 속에서는 당연히 청소년들의 가슴이 척박한 황무지로 변해갈 수밖에 없다.

성적지수와 행복지수는 반드시 정비례하는가.

아니다.

교수가 얼굴에 웃음을 떠올리는 횟수와 바보가 얼굴에 웃음을 떠올리는 횟수만 비교해 보아도 대답은 자명해진다.

'대학 가서 미팅할래 공장 가서 미싱할래'

어떤 고등학교 교실에 걸려 있는 협박성 급훈이다.

대학과 미팅은 행복하고 공장과 미싱은 불행하다는 암시가 내포되어 있다.

하지만 성적이 반드시 행복을 보장해 주지 않듯이 대학도 반드시 행복을 보장해 주지 않는다.

반드시 대학에 들어가야 한다는 강박관념 속에서 입술이 허옇게 부르트도록 공부를 해서 막상 대학에 들어가 보라. 대학은 거대한 허욕의 공동묘지. 지각이 있는 젊은이라면 대학이 단지 직장을 얻기 위해 놓여진 징검다리에 불과하다는 사실에 깊은 회의감을 느끼게 된다.

시간은 불어터진 채로 널브러져 있지만 공부할 의욕이 생기지 않는다. 현실은 각박한데 미래는 불투명하다. 질풍노도와 같은 시기, 하지만 앞으로 나가자니 천길 절벽이요 뒤로 물러서자니 막다른 골목이다. 자꾸만 속았다는 생각이 치밀어 오른다.

하지만 학생들로서는 특별한 대안이 보이지 않는다. 특별한 대안이 보이지 않기 때문에 술로 위안을 삼을 수밖에 없다. 주(酒)님이 주(主)님의 역할을 대신하게 된다. 당연히 대학가에는 서점이 모조리 사라져버리고 주점만 즐비하게 늘어난다. 나날이 가슴은 메말라가고 다달이 젊음은 시들어간다. 우울증으로 정신과 치료를 받거나 자살을 시도하는 학생들도 늘어간다.

오늘날의 젊은이들은 결혼을 하더라도 자식은 낳지 않겠다는 속내를 아무 거리낌없이 털어놓는다. 양육비와 교육비가 많이 들기 때문이라는 것이다. 얼마나 나약한 고백인가. 아니, 얼마나 정직한 고백인가. 오늘날의 젊은이들은 자신이 부모들에게 얼마나 큰 짐으로 존재했던가를 너무나 잘 알고 있다.

하지만 한 가지 사실은 모르고 있다. 그들의 부모세대는 자식을 돈으로 기른 것이 아니라 사랑으로 길렀다는 사실을.

나날이 가슴은 메말라가고
다달이 젊음은 시들어간다.

이 세상에 존재하는 어떤 인간도 사랑 없이는 행복할 수 없다. 사랑하라는 말은 행복하라는 말과 동일하다. 그러나 부자 되라는 말과 행복하라는 말은 동일하지 않다. 금품으로 거래되는 사랑은 진정한 사랑이 아니며 금품으로 거래되는 행복도 진정한 행복이 아니다.

왜 반드시 대학을 가야 한다고 생각하는가.

고작 입에 풀칠을 할 목적 하나로 수많은 밤들을 지새우면서 문제집을 풀고, 허구한 날들을 불안과 초조로 마음을 졸이면서 이력서를 작성하고, 합격자 발표가 있을 때마다 좌절과 울분 속에서 깡소주를 마시고, 어쩌다 운좋게 직장이라도 얻게 되면 낙오병이 되지 않기 위해 끊임없이 눈치를 보고, 끊임없이 아부를 하고, 끊임없이 굴욕을 참아내면서 살아야 한다면 도대체 인생은 얼마나 허망한 것이냐.

사랑하라는 말은 행복하라는 말과 동일하다.

삼십대 중반의 사내 하나가 격외옹에게 물었다.

'깨달음을 얻으려면 어떻게 공부해야 합니까'

격외옹이 대답했다.

'먼 산 조각구름은 거처가 없다네'

삼십대 중반의 사내가 다시 간청했다.

'너무 어려우니 알기 쉽게 설명해 주십시오'

격외옹이 짤막하게 대답했다.

'그게 다일세'

그대여.

진실로 행복하고 싶다면 오랜 최면에서 깨어나라.

물질의 풍요가 행복을 보장한다는 망상에서 깨어나라.

물질의 빈곤이 그대를 불행하게 만드는 것이 아니라 정신의 빈곤이 그대를 불행하게 만든다. 물질에 대한 집착으로 가득 차 있는 가슴이라면 어떤 사랑도 들어앉을 자리가 없다. 어떤 사랑도 들어앉을 자리가 없는 가슴에는 어떤 행복도 들어앉을 자리가 없다.

거부 록펠러는 33세에 백만장자가 되었고 53세에 세계 제일의 갑부가 되었다. 이때까지도 그는 자신의 불행을 모르고 있었다.

그러나 그는 55세에 암선고를 받았다. 그리고 암선고를 받고나서야 비로소 자신이 헛살았다는 사실을 깨달았다. 자신의 생사를 걱정하는 인간들보다는 자신의 재산에 관심을 가지는 인간들이 훨씬 더 많았다. 진정한 친구도 없었고 진정한 친척도 없었다. 오직 상속자들만 그의 죽음을 기다리고 있을 뿐이었다.

결국 그는 재단을 만들어 전 재산을 사회에 환원해 버렸다. 그러자 암세포가 흔적도 없이 사라져버리는 기적이 일어났다. 그는 물질에 대한 집착을 완전히 떨쳐버림으로써 향년 98세까지 진정한 행복을 구가하면서 여생을 보낼 수 있었다.

물질의 빈곤이 그대를 불행하게 만드는 것이 아니라
정신의 빈곤이 그대를 불행하게 만든다.

초목이 우거진 열대우림지대에는 수시로 장대비가 쏟아진다.

그러나 초목이 자라지 않는 사막지대에는 가랑비조차도 드물게 내린다.

욕망과 분노가 그대 가슴을 사막으로 만들고

시기와 질투가 그대 가슴을 사막으로 만든다.

투쟁과 계략이 그대 가슴을 사막으로 만들고

아집과 편견이 그대 가슴을 사막으로 만든다.

가슴이 사막이면 사랑의 씨앗이 발아하지 않는다.

사랑의 씨앗이 발아하지 않으면 축복의 비도 내리지 않는다.

비를 주어서 기뻐할 것들이 무성하면 수시로 장대비가 쏟아지고

비를 주어서 기뻐할 것들이 적으면 가랑비조차도 드물게 내린다.

하늘의 섭리다.

세상이 아무리 삭막하더라도 그대 가슴에 사랑의 씨앗을 파종하라.

슬픈 이를 만나면 같이 슬퍼하고 아픈 이를 만나면 같이 아파하라.

타인의 불행을 나의 불행으로 생각하고

타인의 행복을 나의 행복으로 생각하는 자들의 가슴에만 사랑의 숲이 번성하리라.

사랑의 숲이 번성하는 곳에만 축복의 장대비가 쏟아지리라.

인간도 다른 동물들과 마찬가지로 만물을 사랑하는 법을 익히기 전에 이성을 사랑하는 법부터 익히게 된다.

일부 학자들의 주장에 의하면 인간이 사랑의 열병을 앓는 현상은 뇌에서 분비되는 화학물질의 작용 때문이다. 그들의 주장에 의하면, 사랑에는 끌림, 갈망, 애착의 3단계가 있는데 각 단계마다 뇌에서 다른 화학물질이 분비되고 그에 따라 다른 감정의 변화가 일어난다.

사랑의 첫 단계에서는 도파민이라는 화학물질이 영혼을 매혹시킨다. 이 단계에서는 어디를 가도 연인의 모습이 아른거리고 그의 뒷모습만 보아도 실성한 듯 웃음이 흘러나온다. 별일이 아닌 일에도 감동을 받고 주위 사람들에게도 이유 없는 친절을 베풀게 된다. 연인을 보면 얼굴이 빨개지고 심장이 두근거리는 현상은 아드레날린의 작용 때문이다. 이 단계에서는 연인의 이빨에 고춧가루가 끼어 있어도 마냥 예뻐 보인다. 역시 아드레날린의 작용 때문이다.

세상이 아무리 삭막하더라도
그대 가슴에 사랑의 씨앗을 파종하라.

80

두 번째 단계는 꼭두새벽에 특별한 목적도 없이 연인의 집 앞으로 달려
가는 단계다. 이 단계는 페닐에칠아민의 작용을 받는다. 페닐에칠아민은
초콜릿에도 함유되어 있다. 중추신경을 자극하는 천연각성제 역할을 하는
화학물질로 알려져 있다. 제어하기 힘든 열정으로 몸을 부르르 떨거나 가
슴이 터져 버릴 것 같은 상태를 경험하게 된다. 성교 시 오르가즘을 느낄
때 최고치가 되는 호르몬으로 알려져 있다.

세 번째 단계는 상대를 껴안고 싶어하는 충동의 단계다.

이 단계는 옥시토신의 지배를 받는다. 상대방에게 애착을 느껴 사랑에 안정적으로 정착하고 싶어하는 현상에 돌입하며 왕성하게 엔돌핀이 분비되기도 한다. 엔돌핀은 마약과 비슷한 물질로 통증을 없애 주고 기쁨을 느끼게 만드는 효과를 가지고 있다.

특히 이 단계에 이르면 남자들은 각별히 조심할 필요가 있다. 오늘날은 전철에서 자세만 잘못 잡아도 성폭행범으로 오인 받을 소지가 있다. 비록 상대가 사랑하는 여자라 하더라도 노골적으로 충동을 표출하면 성폭행범으로 쇠고랑을 찰 가능성이 농후하다. 남편이 잠자리를 거부하는 아내와 강제로 성관계를 가졌다는 이유로 고소를 당해 쇠고랑을 찬 사례도 있다.

아무튼 학자들의 주장을 요약하면 사랑의 열병은 결국 뇌가 종족보전을 목적으로 다양한 화학물질들을 분비해서 눈에 콩깍지를 씌우는 현상에 불과하다. 그러나 법정에서 옥시토신의 지배를 받아 어쩌고저쩌고 변명을 늘어놓아 보았자 고개를 끄덕여줄 법관이 있을 까닭이 없다.

타인의 불행을 나의 불행으로 생각하고
타인의 행복을 나의 행복으로 생각하는 자들의 가슴에만
사랑의 숲이 번성하리라.

그런데 왜 하필이면 콩깍지일까. 옛날에는 콩밭이 불륜행위나 음담패설의 배경으로 자주 인용되었다. 콩농사는 초보자도 실패하는 경우가 드물다. 콩은 뿌리혹박테리아를 가지고 있기 때문에 어떤 땅에다 심어도 잘 번성하는 특질을 가지고 있다.

콩잎이 무성해졌을 때 콩밭에 드러누우면 쉽게 몸을 은폐시킬 수 있다. 여인숙도 없었고 러브호텔도 없었던 시절에는 콩밭이나 뽕밭이 정사를 벌이기에 적합한 장소였을 것이다. 콩밭이나 뽕밭에 비하면 물레방앗간은 문명의 냄새가 나면서 다소 낭만이 떨어진다.

콩깍지의 표면에는 까칠까칠한 솜털이 돋아나 있다. 그것이 눈에 씌워지면 몹시 따가울 것이다. 하지만 사랑의 열병을 앓게 되면 그것이 눈에 씌워져도 모를 지경으로 이성을 잃어버리게 된다. 학자들은 그것을 뇌에서 분비되는 화학물질의 작용 때문이라고 단정하는 것이다. 오랜 연구결과에서 얻어낸 이론이라니 범인들로서는 미심쩍어도 반론을 제기할 여지가 없다.

학자들은 이성을 대상으로 3년 정도 사랑의 열병을 앓게 되면 뇌에서 공급되던 화학물질들이 현격하게 줄어든다고 설명한다. 그래서 대부분 3년 정도가 지나면 콩깍지가 벗겨지고 상대의 실체를 보게 된다고 말한다. 이때가 파탄이 도래하는 시기다.

콩깍지가 벗겨지면 비로소 상대방이 별로 대단치 않은 존재로 여겨진다. 그래서 콩깍지를 쓰고 있을 때의 모든 행위들을 '내가 미쳤지'라는 말로밖에는 해명하지 못하는 결과를 초래한다.

하지만 과학적인 안목으로 사랑을 들여다보는 행위는 전자현미경으로 성경을 들여다보는 행위와 무엇이 다르랴. 과학적인 안목으로는 절대로 사랑의 실체를 파악하지 못한다.

사랑의 숲이 번성하는 곳에만
축복의 장대비가 쏟아지리라.

진정한 사랑은 시한부가 아니다.

진정한 사랑은 영원불변을 전제로 한다.

3년 정도가 지나면 벗겨지는 콩깍지는 육체에 그 뿌리를 두고 있지만

영원불변하는 콩깍지는 영혼에 그 뿌리를 두고 있다.

물론 그 두 가지를 모두 조화시켜야 완전무결한 사랑이 된다.

87

　오늘날의 젊은이들은 이성을 유혹하기 위해 수작을 거는 행위를 '작업'이라고 표현한다.

　젊은이들은 사랑을 받아줄 대상을 만들기 위해서 작업을 거는 경우도 있고 성욕을 받아줄 대상을 만들기 위해서 작업을 거는 경우도 있다.

성개방풍조가 확산되면서 유행가 속에서 '행주치마 입에 물고 입만 방 긋'하던 여자들은 사라져버렸고 '너의 손길에 나를 맡긴 채 이대로 쓰러지 고 싶은' 여자들이 배꼽티와 핫팬츠 차림으로 거리를 활보하고 있다. 당연 히 사랑을 받아 줄 대상을 만들기 위해 작업을 거는 경우는 드물어졌고 성 욕을 받아줄 대상을 만들기 위해 작업을 거는 경우가 많아졌다.

하지만 그대가 진정한 사랑을 갈구한다면 속물들의 저급한 미끼를 덥석 물어버리는 실수를 저지르지 말아야 한다. 속물들은 내면보다는 외모를 중시하고 정신보다는 물질을 중시하는 특성을 가지고 있다.

진정한 사랑은 시한부가 아니다.
진정한 사랑은 영원불변을 전제로 한다.

대부분의 남자들은 각종 허세로 조제한 미끼로 상대를 유혹하고 대부분의 여자들은 각종 허영으로 조제한 미끼로 상대를 유혹한다.

어떤 남자는 호주머니에 고작 일회용 라이터 하나를 소지하고 있을 뿐인데도 마치 옆구리에 고성능 화염방사기를 장착하고 있는 듯이 허세를 부린다.

어떤 여자는 사과 반쪽을 엎어놓은 크기밖에 안 되는 유방을 가지고 있으면서도 양쪽에 수박을 통째로 매달고 있는 듯이 보이는 브래지어를 착용한다.

허세로 조제한 미끼를 덥석 무는 여자치고 속물이 아닌 여자가 없으며 허영으로 조제한 미끼를 덥석 무는 남자치고 속물이 아닌 남자가 없다.

하지만 세상은 요지경, 하룻밤 욕정이나 불태우고 날이 새면 부담 없이 헤어질 사이라면 어떤 미끼를 물든 무슨 상관이랴.

　남자는 자신의 능력을 인정해 주는 사람에게 평생을 바치고 여자는 자신의 미모를 인정해 주는 사람에게 평생을 바친다는 속설이 있다. 그럴지도 모른다. 하지만 정작 능력이 있는 남자는 허세로 자신을 위장하지 않으며 정작 미모를 갖춘 여자는 허영으로 자신을 포장하지 않는다.

93

　한때 순간의 선택이 평생을 좌우한다는 광고카피가 유행한 적이 있었다.
　겉으로 보기에는 절세가인인데 속을 들여다보면 백 년 묵은 불여우를
키우는 여자도 있고, 겉으로 보기에는 시정잡배인데 속을 들여다보면 천
년 묵은 향나무를 키우고 있는 남자도 있다. 그렇다. 순간의 선택에 따라
한 남자가 불여우의 현란한 간계 속에서 고달픈 인생을 보낼 수도 있고 한
여자가 향나무의 푸른 그늘을 베고 평온한 인생을 보낼 수도 있다.

정작 능력이 있는 남자는
허세로 자신을 위장하지 않으며
정작 미모를 갖춘 여자는
허영으로 자신을 포장하지 않는다.

94

진정한 사랑을 하기에는 세상이 너무도 척박하다.

운명은 수시로 그대를 막다른 골목으로 몰아붙인다.

막장인생 탈피는 가랑잎에 걸터앉아 태평양 횡단하기보다 힘들고, 라면이나 몇 박스 장만해서 끼니 걱정이나 덜어 볼 요량으로 친구놈들하고 벌이는 고도리판, 결과는 언제나 떡실신에 캐관광이다.

인생이 꼬일 때는 무슨 일을 도모해도 재수에 옴이 붙는다. 막판에 들고 있는 화투는 똥쌍피와 팔광인데 똥쌍피를 던지자니 피박을 면키 어렵고 팔광을 던지자니 광박을 면키 어렵다. 전진하면 고산준령, 후퇴하면 기암절벽. 희망은 성수대교가 붕괴될 때 익사 당했는지 오리무중이고 행운은 삼풍백화점이 붕괴될 때 압사 당했는지 종무소식이다.

'남의 불행은 나의 행복'

그대가 설사해 놓은 화투장들을 거만한 손길로 회수해 가면서 친구놈은 고도리판 명심보감 한 마디를 내뱉는다. 남의 불행이 나의 행복이라니. 염장을 지르는 말이다. 물론 진정한 친구라면 진심이 아닐 것이다. 그러나 진심으로 그렇게 생각하는 잡놈들도 부지기수다. 이런 놈들이 늘어날수록 세상은 살벌해지고 이런 놈들이 줄어들수록 세상은 평온해진다.

하지만 그대가 직접 그런 놈들을 퇴치할 필요는 없다.

이상하게도 못된 놈들은 못된'놈들끼리 모여 산다. 파리는 파리들끼리 모여 살고 모기는 모기들끼리 모여 산다. 깡패는 깡패들끼리 모여 살고 노름꾼은 노름꾼들끼리 모여 산다. 모여 살면서도 자기들끼리 서로를 못 잡아먹어서 안달을 한다. 안달을 하다가 종국에는 서로를 몰락시키는 결과를 초래한다.

그대는 다만 남의 불행을 나의 불행으로 생각하고 남의 행복을 나의 행복으로 생각하면서 살아가면 그만이다.

96

노는 물이 좋아야 한다는 말이 있다.

도시의 하늘은 대체로 혼탁하다. 새로 떠오르는 아침해조차도 폐병을 앓는 기색이 역력하다. 별들은 아예 절명해 버렸는지 밤이 되어도 보이지 않는다. 빌딩숲 밑에 주눅든 모습으로 늘어서 있는 가로수들은 한결같이 소음에 의한 만성피로증후군으로 금방 쓰러져버릴 듯 위태로워 보인다.

도시를 노는 물에 비유하면 오폐수에 해당한다.

오폐수 속에 오래 방치해 두면 순결한 사랑마저도 결국은 악취를 풍기 게 된다.

순간의 선택에 따라
한 남자가 불여우의 현란한 간계 속에서
고달픈 인생을 보낼 수도 있고
한 여자가 향나무의 푸른 그늘을 베고
평온한 인생을 보낼 수도 있다.

사랑은 관심으로부터 출발한다.

그러나 도시에서는 자기와 직접적인 손익관계가 없으면 관심을 기울이지 않는다. 옆집에서 사람이 죽어 나가도 모르는 경우가 허다하다. 한겨울에 취객이 도로변에 쓰러져 있어도 무심히 지나친다. 간혹 쓰러져 있는 취객이 자기와 직접적인 손익관계가 있다고 생각해서 관심을 가지고 접근하는 놈들이 있기는 하다. 바로 취객의 호주머니를 뒤져 지갑을 훔쳐 가는 놈들이다.

하지만 그 정도는 양반이다. 아예 취객의 후두부를 각목이나 벽돌로 강타하고 금품을 갈취하는 놈들도 있다. 영혼이 부패한 놈들이다.

98

　　도시에서 오래 살다 보면 자신도 모르게 냉혹해진다. 하지만 냉혹을 탓
해서는 안 된다. 냉혹은 도시에서 오래 살다 보면 저절로 습득되는 일종의
자기방어책이다.

운명은 수시로 그대를
막다른 골목으로 몰아붙인다.

99

문하생 하나가 격외옹에게 물었다.

'사부님 왜 비행기는 후진이 안 될까요'

격외옹이 대답했다.

'새들도 후진이 안 된다'

'왜 그런가요'

'하늘은 전후좌우가 없기 때문이다'

문하생이 다시 물었다.

'물은 상류와 하류가 있는데 물고기는 왜 후진이 안 될까요'

격외옹이 대답했다.

'상류로 전진하고 싶을 때는 힘차게 지느러미를 움직이면 되고 하류로
후진하고 싶을 때는 물살에 몸을 맡기면 된다'

'물살보다 빠르게 하류로 가고 싶으면요'

'그때는 몸을 돌려야겠지'

열악한 환경을 탓하지 말라.

성공하는 사람들은 대부분 열악한 환경을 도약의 발판으로 삼았던 기억
을 가지고 있다.

어리석은 물고기는 하류로만 흐르는 물살을 불평하지만 지혜로운 물고
기는 하류로만 흐르는 물살에 감사한다.

사랑은

관심으로부터 출발한다.

101

대부분의 여자들은 자기가 신데렐라일지도 모른다는 망상에 사로잡힌다.

언젠가는 백마 탄 왕자가 홀연히 나타나서 자기를 정중히 모셔 가기를 기대한다. 그러면서도 신데렐라의 열악한 환경이나 선량한 마음씨에 대해서는 생각조차 해본 적이 없다.

그러니 결국 마부 같은 남자와 결혼하는 신세를 면치 못한다. 백마 탄 왕자인 줄 알고 결혼했는데 알고 보니 깡통 찬 마부였어, 라고 탄식하면서도 자신의 결점이 무엇인지는 한 번도 생각해 보지 않는다. 마부가 자기를 속였다고만 생각한다. 자기가 자기에게 속았다는 사실은 한평생 모르고 살아간다.

오랜 생명력을 유지하고 있는 고전들 속에는 인간이라면 반드시 새겨 두어야 할 가르침이 담겨 있다. 『춘향전』에는 절개를 지키라는 가르침이 담겨 있고 『심청전』에는 효성을 다하라는 가르침이 담겨 있다.

하지만 현실 속에서는 고전의 가르침을 춘향이나 심청이가 신다 버린 버선짝으로 취급하면서 살아가는 여자들이 부지기수다. 변사또 수청은 넙죽넙죽 잘 들어주면서 결혼은 반드시 암행어사와 해야 한다고 생각하는 여자들도 있고 앞 못 보는 아버지는 거들떠보지도 않으면서 결혼은 반드시 임금님과 해야 한다고 생각하는 여자들도 있다. 그러면서도 방자가 춘향이를 넘보면 죽일놈이라고 생각하고 심봉사가 현모양처를 기대하면 꼴불견이라고 생각한다. 자기가 향단이면서 이몽룡에게 추파를 던지고 있다는 사실도 모르고 있으며 자기가 뺑덕어멈이면서 임금님에게 꼬리를 치고 있다는 사실도 모르고 있다.

언제나 자신의 판단과 결정이 옳다고 생각한다. 소크라테스의 '너 자신을 알라'는 금언을 들으면 즉시 친절한 금자씨의 '너나 잘 하세요'라는 대사로 되받아 친다.

어리석은 물고기는

하류로만 흐르는 물살을 불평하지만

지혜로운 물고기는

하류로만 흐르는 물살에 감사한다.

하지만 그 어떤 여자라도 한 남자를 사랑할 자격이 있으며 그 어떤 여자라도 한 남자로부터 사랑받을 자격이 있다. 그것은 자연의 섭리기도 하지만 하나님의 섭리기도 하다. 다만 상대가 반드시 어떤 남자, 어떤 여자여야 한다는 조건이 문제다. 조건이 까다로우면 까다로울수록 사랑이 성사될 가능성은 희박해진다. 진정한 사랑의 조건은 사랑을 느낄 수 있다는 가슴 하나로 충분하기 때문에.

서울에 소재한 유명 연예기획사 건물 주변은 매주 토요일이면 아이돌 스타가 되고 싶어하는 젊은이들로 장사진을 이룬다. 오디션에 합격만 하면 만인에게 사랑받는 스타로 부상할 수 있다는 꿈에 부풀어 있는 젊은이들이다. 하지만 오디션에 합격해도 재능과 열정만으로는 만인에게 사랑받는 스타가 되지 못한다. 만인에게 사랑 받는 스타로 부상하려면 재능과 열정은 기본이고 만인을 사랑할 수 있는 가슴도 간직하고 있어야 한다.

　단지 외모만 받쳐주면 스타가 될 수 있다는 망상으로 연예기획사 주변을 떠도는 젊은이들은 사기꾼들의 마수에 걸려들기 십상이다. 유명 감독을 소개시켜 주겠다는 말에 속아서 거액을 날리는 여자도 있고 주연으로 캐스팅해 주겠다는 말에 속아서 몸을 망치는 여자도 있다. 부모들까지 부화뇌동해서 사기꾼들의 지갑을 채워주는 사례도 비일비재하다. 물질이 아무리 풍족해도 정신이 빈곤하면 자주 헛다리를 짚기 마련이다.

세상은 천박한 욕망의 전장이다.

용돈이 필요하다는 이유로 어른들에게 자신의 육체를 성적 노리개로 제공하는 여중생들. 외모지상주의나 황금만능주의가 피지도 못한 꽃봉오리들을 시궁창으로 밀어넣고 있다. 오물을 깨끗이 씻어내고 제대로 활짝 피어날 수 있도록 만드는 방법은 무엇일까.

친구들끼리 술을 마시고 여중생을 강제로 납치해서 야산으로 끌고 가 집단강간하는 남고생들. 아무리 성욕을 주체하기 힘든 나이라지만 자신들의 행위가 천인공노할 범죄라는 사실을 모를 까닭이 없다. 무엇이 저 푸른 나이를 뿌리부터 병들게 하는 것일까.

지하철에서 주위 시선은 아랑곳하지 않고 서로 부둥켜안은 채 노골적인 애무를 즐기고 있는 대학생. 요즘은 대학생들이 솔선수범해서 유치원생들과의 지각평준화에 총력을 경주하고 있다. 뇌를 절개해 보면 '취업', '섹스' 두 개의 단어만 선명하게 입력되어 있을 것 같다.

외국인이라면 사족을 못 쓰고 함부로 몸을 내던지는 혐한파 아가씨들. 논개는 나라를 지키기 위해 적장의 허리를 끌어안고 진주 남강에 몸을 던졌지만 그녀들은 도대체 무슨 명분으로 외국인들의 허리를 끌어안고 모텔 침대에 몸을 던지는 것일까.

남편도 있고 자식도 있는 유부녀들이 단지 인생의 무료함을 달래기 위해서라는 명분으로 환락가에서 함부로 몸을 굴리기도 한다. 마치 남은 생애를 행복하게 보내는 방법은 오로지 불륜뿐이다 라고 생각하는 여자들 같다. 대한민국은 면적이 그리 넓은 나라가 아니다. 환락가에서 아들과 마주칠 수도 있고 남편과 마주칠 수도 있다. 마주치면 과연 어떤 결과를 초래할까.

그 어떤 여자라도

한 남자를 사랑할 자격이 있으며

그 어떤 여자라도

한 남자로부터 사랑받을 자격이 있다.

세상 전체가 심각한 정신질환을 앓고 있다.

인간은 정(精), 기(氣), 신(神), 세 가지 요소들로 구성된 삼합체(三合體)다.

정은 육신을 구성하는 요소이고 기는 정신을 구성하는 요소이며 신은 영혼을 구성하는 요소이다. 이 세 가지 요소 중 어느 한 가지라도 결핍되면 인간은 극심한 욕구불만에 사로잡히게 된다. 그 욕구불만이 여러 가지 개인적인 병폐와 사회적인 병폐를 만들어낸다.

정신의 궁핍에서 기인한 욕구불만이 식욕본능으로 전이되어 비만녀를 만들어낸다. 날마다 허전하다. 쇼핑을 해도 허전하고 명품을 사도 허전하고 남친을 만나도 허전하고 섹스를 해도 허전하다. 자기도 모르게 음식으로 손이 간다. 살이 찌면 안 되는데, 라고 생각하면서도 먹는다. 먹어도 허전함은 그대로다. 거울을 본다. 어쩌면 좋아 살이 쪘어, 라고 생각한다. 그래도 먹는다. 역시 허전함은 그대로다. 날이 갈수록 신경이 둔감해지고 있지만 허전함은 그대로다. 체중이 급격하게 불어난다.

영혼의 궁핍에서 기인한 욕구불만이 생식본능으로 전이되어 허약남을 만들어낸다. 날마다 허전하다. 운동을 해도 허전하고 샤워를 해도 허전하다. 영화를 보아도 허전하고 낮잠을 자도 허전하다. 자신도 모르게 남근으로 손이 간다. 탁탁탁. 자위를 한다. 사정을 해도 허전함은 그대로다. 여친을 만나 모텔로 간다. 하악하악. 섹스를 시도해 보지만 물건이 자꾸만 고개를 숙인다. 여친의 도움을 받아 몇 번의 시도 끝에 가까스로 사정을 한다. 비참함과 허전함이 동시에 밀려닥친다.

어떤 일도 손에 잡히지 않는다. 매사에 자신감이 생기지 않는다. 혼자 있을 때는 자신도 모르게 자위에 열중하게 된다. 중독 같다. 금딸(自慰禁止)을 해야지, 라고 생각하면서도 손놀림을 멈출 수가 없다. 날이 갈수록 비참함과 허전함이 고조된다. 밤마다 불면에 시달린다. 체중이 현저하게 줄어든다.

현대인들은 육신을 구성하는 요소에 대해서는 필요 이상으로 신경을 쓰면서 살아간다. 그러나 정신을 구성하는 요소나 영혼을 구성하는 요소에 대해서는 전혀 신경을 쓰지 않고 살아간다. 작금에 이르러서는 종교인들조차도 정신과 영혼보다는 육신과 물질에 집착하는 성향이 짙다. 그래서 현대인들은 항시 '정체를 알 수 없는 욕구불만'에 시달린다. 바로 정신과 영혼의 궁핍에서 오는 욕구불만이다.

대한민국 티브이들의 아침프로는 벌써 몇 년째 먹는 타령으로 경쟁을 하고 있다. 대한민국이야말로 음식문화라면 타국의 추종을 불허하기 때문에 소재는 무궁무진이다. 때로는 해외촬영까지 감행해 가면서 특별한 음식들을 발굴해 낸다. 하지만 소개된 음식을 시식해 본 리포터들의 멘트는 한결같다. '어머어, 정말로 담백해요'가 아니면 '으와아, 정말로 죽여주네요'다. 그런데도 몇 년째 먹는 타령은 종영되지 않는다. 왜 그럴까.

공항 검색대에서 일하는 사람들의 말을 들어보면 외국 사람들의 여행가방에 비하면 한국 사람들의 여행가방은 너무 거대한 부피를 가지고 있다고 한다. 마치 걸리버 여행기의 소인국 가방과 대인국 가방처럼 차이가 난다는 것이다. 한국 사람들은 여행을 가서도 가방이 미어터지도록 물건을 쑤셔 넣지 않으면 직성이 풀리지 않는 것이다. 왜 그럴까.

현대 한국인들은 '정체를 알 수 없는 욕구불만'을 성욕발산이나 물욕충족으로 해소하려는 어리석음을 자행하고 있는 것이다. 하지만 그 정체를 알 수 없는 욕구불만은 정신이나 영혼의 궁핍에서 비롯되는 것이기 때문에 성욕발산이나 물욕충족으로는 절대로 해소되지 않는다. 두터운 솜이불로 몸을 감싼다고 어찌 애정결핍을 해소할 수 있으며 두터운 안대로 눈을 가린다고 어찌 그리움을 차단할 수 있겠는가.

오물을 깨끗이 씻어내고
제대로 활짝 피어날 수 있도록
만드는 방법은 무엇일까.

112

비록 정체를 알 수 없는 욕구불만이라 하더라도 사랑이라는 영약이라면 얼마든지 퇴치가 가능하다. 사랑만 충분히 공급해 주면 어떤 욕구불만이든지 말끔히 해소된다. 당연히 욕구불만에 따른 합병증들도 말끔히 사라진다. 전 우주를 통틀어 사랑에 대적할 만한 영약은 존재하지 않는다.

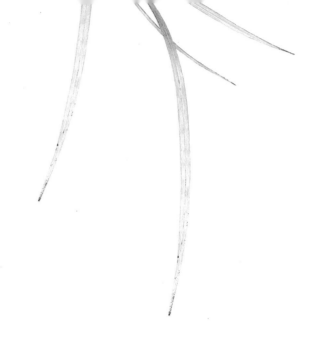

113

그대는 누군가를 사랑하거나 누군가로부터 사랑받기 위해 그토록 힘겨
운 모습으로 이 세상에 존재하는 것이다.

아무리 견디기 힘들어도 자살 따위는 생각지 말라.

그대가 자살해 버리면 이 세상 어딘가에서 그대를 사랑하기 위해 살고 있는 사람과 그대에게 사랑 받기 위해 살고 있는 사람의 인생이 얼마나 슬퍼질 것인가를 생각하라.

115

이 세상에 존재하는 인간들은 모두 가슴에 순수한 사랑을 간직하고 태어난다. 그러나 성장하면서 조금씩 그것을 상실하거나 왜곡한다. 특히 치열한 생존경쟁에 시달리면서 판에 박힌 듯한 일상을 되풀이하다 보면 저절로 가슴이 황량해진다. 그리고 저절로 가슴이 황량해지면 저절로 감성도 녹슬어 버린다. 저절로 감성이 녹슬어버리면 저절로 사랑도 퇴락해 버린다.

116

팔이 안으로만 굽는다 하여

어찌 등 뒤에 있는 그대를 껴안을 수 없으랴

내 한 몸 돌아서면 충분한 것을

(李外秀의 詩「날마다 하늘이 열리나니」全文)

전 우주를 통틀어
사랑에 대적할 만한 영약은
존재하지 않는다.

117

이 세상에 태어난 모든 존재들에게는 저마다의 지극한 사랑이 깃들어
있다.

초겨울 지붕 위에 덮여 있는 햇빛 한 장에도 사랑이 깃들어 있고 한여름
마루 끝에 접혀 있는 그늘 한 장에도 사랑이 깃들어 있다. 수풀을 흔들며
지나가는 한 무더기 바람에도 사랑이 깃들어 있고 침묵을 지키며 누워 있
는 한 덩어리 바위에도 사랑이 깃들어 있다. 허공을 떠다니는 먼지. 길섶
에 피어 있는 풀꽃. 담벼락을 적시는 달빛. 그것들은 모두 사랑을 전달하
는 매개체로 그 자리에 존재한다. 다만 가슴이 황량하거나 감성이 녹슬어
버린 사람들이 그것을 하찮게 생각할 뿐이다.

118

사랑에 의지하라.

사랑이 기적을 만든다.

그대가 아직 사랑할 대상을 못 찾았다고 하더라도 사랑에 의지하라.

어떤 아기 엄마가 트럭에 깔린 아기를 구출하기 위해 혼자의 힘으로 트럭을 번쩍 들어 올렸다는 일화가 있다. 사랑의 힘이 얼마나 위대한가를 가르쳐 주는 일화다.

그대가 지금 육중한 운명의 바퀴 밑에 깔려 있다고 하더라도 크게 절망할 필요는 없다. 하나님은 큰 그릇이 될 인물에게는 반드시 큰 시련을 먼저 주는 법이니, 기꺼이 감내하면서 자신의 영혼을 숙성시켜라. 그러면 언젠가는 그대를 짓누르고 있는 운명의 바퀴를 그대 스스로 내던질 수 있는 힘을 배양하게 되리라. 그리하여 또 다른 운명의 바퀴 밑에서 신음하는 자들을 구출하고 만인에게 사랑의 위대함을 증거하는 역사(力士)로 성장하게 되리라.

119

아무리 세상이 썩어 문드러져도 가슴에 증오를 키우면서 살아가는 사람
들보다 가슴에 사랑을 키우면서 살아가는 사람들이 훨씬 더 많다는 사실
은 얼마나 우리를 눈물겹고 행복하게 만드는가.

허공을 떠다니는 먼지.

길섶에 피어 있는 풀꽃.

담벼락을 적시는 달빛.

그것들은 모두

사랑을 전달하는 매개체로

그 자리에 존재한다.

인간은 한 달 정도만 식음을 전폐해도 목숨이 끊어질 위험에 처하게 된다. 그러나 목숨보다 중요한 것은 사랑이다. 인간은 사흘 정도만 사랑을 전폐해도 영혼이 소멸할 위기에 당면하기 때문이다. 목숨이 끊어지면 지구에서의 존재가치를 상실하게 되지만 영혼이 소멸하면 우주에서의 존재가치를 상실하게 된다.

'한 여자가 20년이나 걸려 성인으로 만들어놓은 아들을 다른 여자가 불과 20분 만에 바보로 만들어버린다'

미국의 여류 저널리스트 헬렌 롤랜드의 말이다.

'남자는 사랑에 빠지면 한 치 앞도 내다보지 못하는 바보가 되지만 여자는 사랑에 빠지면 십 년 뒤를 내다보는 천재가 된다'

출처불명의 명언이다.

122

여자는 사랑에 빠지면 끊임없이 남자를 시험한다. 때로는 남자 앞에서 마음에도 없는 말을 함부로 내뱉기도 한다.

어느 때는 좋아도 싫다고 말하고 어느 때는 싫어도 좋다고 말한다. 어느 때는 냉정하게 남자를 대하고 어느 때는 다정하게 남자를 대한다. 여자는 얼마나 자기를 사랑하고 있는가를 수시로 시험해 보고 싶어한다.

그러나 남자는 바보가 되어버렸기 때문에 여자의 말과 행동을 액면 그대로 받아들이게 된다. 액면 그대로 받아들이면 여자는 전철 한 구간을 지나갈 때마다 생각이 열두 번씩 바뀌는 동물이다.

123

여자는 대체로 지속적이면서도 강압적인 남자에게 약하다. 처음에는 그런 남자를 부담스럽게 생각하지만 자신도 모르는 사이에 저 남자가 나를 지속적으로 강렬하게 사랑하고 있다는 믿음에 빠지게 된다. 그래서 열 번 찍어 안 넘어가는 나무가 없다는 속담이 생겼다.

그러나 요즘 남자들은 한 나무를 열 번씩이나 찍어보는 의지를 보이지 않는다. 마음에 드는 나무를 발견하면 서둘러 전기톱부터 들이댄다.

여자가 무드에 약한 것은 허영심 때문이 아니라 감수성 때문이다.

여자는 때로 자기가 영화나 소설 속의 주인공이 되기를 소망한다. 그래서 남자가 직업배우가 아닌데도 멜로면 멜로, 액션이면 액션의 상대역을 한평생 실감나게 연기해 주기를 소망한다. 아니다. 연기가 아니라 진실로 그런 인물이 되어 주기를 소망한다. 자기가 주인공만 될 수 있다면 결말은 해피엔딩이 아니어도 상관이 없다.

목숨보다 중요한 것은 사랑이다.

인간은 사흘 정도만 사랑을 전폐해도

영혼이 소멸할 위기에 당면하기 때문이다.

125

여자가 유행에 약한 것은 사치성 때문이 아니라 심미안(審美眼) 때문이다.

여자는 언제나 새로운 아름다움을 동경하는 심리가 있다. 만약 새로운 아름다움이 나타나서 그것이 세인들의 관심을 끌면 여자는 터무니없이 비싸더라도 그것을 소유하고 싶어하는 충동에 사로잡힌다. 네티즌들의 표현을 빌면 지름신의 강림이다.

하지만 지혜로운 여자는 지름신의 강림을 경계한다. 새로운 아름다움이 유행하면 수많은 여자들이 그것을 소유하게 된다는 사실을 알고 있기 때문이다. 그리고 수많은 여자들이 그것을 소유하게 되면 한순간이라도 그것을 소유하고 싶어했던 자신에 대해 수치감을 느끼게 된다는 사실을 알고 있기 때문이다.

여자는 24G!(x30)+78ft(3/1M)=∫6洭12CN∞뤆³같이 난해할 때도 있지만 34-24-35 같이 명쾌할 때도 있다. 그것이 남자들을 더 혼란스럽게 만들기는 하지만.

목숨이 끊어지면 지구에서의 존재가치를 상실하게 되지만
영혼이 소멸하면 우주에서의 존재가치를 상실하게 된다.

여자는 $24G!(x30)+78ft(3/1M)=\int6洼12CN\infty릭^3$이며 $24G!(x30)+78ft(3/1M)=\int6洼12CN\infty릭^3$하므로 $24G!(x30)+78ft(3/1M)=\int6洼12CN\infty릭^3$에서 $24G!(x30)+78ft(3/1M)=\int6洼12CN\infty릭^3$해서는 안 되며 $24G!(x30)+78ft(3/1M)=\int6洼12CN\infty릭^3$을 $24G!(x30)+78ft(3/1M)=\int6洼12CN\infty릭^3$해야 된다고 생각한다.

그러나 생각만 할 뿐이지 남자들이 납득할 수 있도록 설명하지는 못한다.

모든 오해의 실마리도 24G!(x30)+78ft(3/1M) = ∫6涯12CN∞뢱³이며
모든 실연의 실마리도 24G!(x30)+78ft(3/1M) = ∫6涯12CN∞뢱³이다.

129

실연의 아픔이 두려워 사랑을 회피하는 사람들이 있다. 배탈의 아픔이
두려워 식음을 전폐하는 사람과 무엇이 다르랴.

그러나 실연의 아픔은 무엇과도 비견할 수 없는 고통을 수반한다. 음식을 먹을 때마다 배탈이 나는 사람은 당연히 음식을 회피하게 된다. 사랑을 할 때마다 실패를 되풀이하는 사람은 당연히 사랑을 회피하게 된다.

음식을 먹을 때마다 배탈이 나는 것은 소화기관에 이상이 있거나 신경이 지나치게 예민하거나 체질에 맞지 않는 음식을 먹었을 때다.

사랑을 할 때마다 실패를 되풀이하는 사람도 마찬가지다. 자신의 정신 상태에 이상이 있거나 상대의 언행에 지나치게 신경을 쓰거나 자신의 취향과 거리가 먼 상대를 선택했을 때 실패를 초래할 가능성이 높다.

사랑할 때마다 실패를 되풀이하면 먼저 자신의 가치관이나 인생관이 잘못되지 않았는가를 점검해 보아야 한다. 그 다음에는 상대를 감당할 만한 내적 깊이를 소유하고 있는가를 숙고해 보아야 한다. 그리고 자신의 취향만을 고집하는 성격을 버리는 연습도 해야 한다.

명심하라. 지나친 자존심은 사랑의 천적이다.

여자가 무드에 약한 것은
허영심 때문이 아니라 감수성 때문이다.

131

음식에도 불량식품과 우량식품이 있다. 자신을 건강하게 만들어 주면 우량식품이고 자신을 허약하게 만들어 주면 불량식품이다. 사랑에도 악연 지간과 호연지간이 있다. 자신을 불행하게 만들면 악연지간이고 자신을 행복하게 만들면 호연지간이다.

아무리 비싼 음식이라도 부작용을 일으키면 불량식품이고 아무리 깊은 사랑이라도 불행을 불러들이면 악연지간이다.

실연 때문에 폐인이 되는 남자도 있고 실연 때문에 시인이 되는 남자도
있다.

여자가 유행에 약한 것은
사치성 때문이 아니라
심미안(審美眼) 때문이다.

아무리 생각해도
내 젊음은 아름답지 않았어

가난이 질척거리는 길바닥
맨발의 슬픔으로
그대에게 보내는
장문의 편지
때로는 미농지처럼
바스락거리는 목숨
마른 꽃잎 한 장도 끼워두었지

언제나 그대는 주소불명
편지는 반송되고
밤마다 허기진 불빛으로 돌아오는 남춘천
마지막 열차

나는 늑골을 적시는 겨울비에
진저리를 치면서
사랑을 예찬하는 모든 시인에게
침을 뱉었어

통금이 임박해 오는 목로주점
밤마다 흐린 백열전구
불빛에 흔들리며
차라리 자살한 어느 저음가수의
통속한 생애를 예찬했지

어디에도
출구는 보이지 않았어
인생은 지느러미를 잘리운 채로
어두운 바다
절망의 동굴 속을 헤엄치는 꿈

내 시간의 폴더에는
불러오기 파일이 손상되고
어느새
무서리 내리는 지천명(知天命)
잠결에 듣는 바람소리에도
온 생애가 펄럭거리네

불현듯 자리에서 일어나
젊은 날을 회상하면
자판을 두드릴 때마다
돌출하는 메시지
'당신의 인생에 치명적인 오류가 발생했습니다'
(李外秀의 詩「시간퇴행(時間退行)」全文)

그대가 실연 끝에 시인이 되었다고 하더라도 떠나간 사랑에게는 그대가 쓴 시를 보내지 말라.

대부분의 사랑은 현실적인 문제들 때문에 종말을 고하게 된다. 자고이래 로 시는 현실적인 문제들과는 대체로 거리가 먼 암호들로 구성되어 있다.

여자들은 환상을 좋아하면서도 현실과 거리가 먼 생각만 하는 남자를 좋아하지는 않는다. 자본주의 국가에서는 돈이 현실을 지배한다. 현실과 거리가 멀다는 사실은 돈과 거리가 멀다는 사실과 동일하다. 그리고 돈과 거리가 멀다는 사실은 행복과 거리가 멀다는 사실과 동일하다. 적어도 대 한민국에서는 그렇다.

대한민국은 예술과 가난이 자매결연을 체결한 나라 같다. 극소수를 제 외하면 진짜 예술가들은 모두가 가난하다. 대한민국에서 시쓰기를 선택했 다는 사실은 돈벌기를 포기했다는 사실과 동일하다. 오죽하면 자녀들이 예술을 지망하면 부모들이 팔소매를 걷어 부치고 말리겠는가.

그러니까 이미 떠나버린 여자에게 그대가 쓴 시를 보내더라도 낙관적인 결과를 기대하기는 힘들다.

그러나 아무리 군사력과 경제력이 막강한 국가라 하더라도 예술의 가치를 모르면 후진국이다. 그러니까 대한민국은 아직 후진국이다.

　그대가 진실로 한 여자를 사랑했던 남자라면 실연의 상처가 아물 때까지 시를 쓰면서도 악몽 같은 세월을 보낼 수밖에 없다. 세상은 한 마디로 사막이다. 앞으로 어떤 여자를 만나더라도 사랑할 자신이 없다. 그대는 날마다 죽고 싶은 심정으로 상처뿐인 가슴에 독약 같은 소주를 들이붓는다.

　안타깝게도 실연의 상처를 치료하는 특효약은 아직 발명되지 않았다. 시는 구급약이 될 수는 있어도 특효약이 될 수는 없다. 몰두하는 동안에 일시적으로 절망감을 완화시켜 줄 수는 있어도 실연에 의한 상처를 완전히 치료해 줄 수는 없다. 그대가 시인이라는 이름을 얻어 다시 이 세상에 태어날 때까지 추억의 편린들은 끊임없이 그대를 고문할 것이다.

137

만약 불가피한 사정으로 사랑에 종말을 고할 일이 있더라도 가급적이면 겨울은 피해야 한다. 겨울의 실연은 얼마나 참혹한가.

떠나간 여자는 주소불명, 그대가 보낸 편지는 날마다 반송된다. 사나흘 함박눈이 내리고 불면이 시작된다. 밤이면 처마 밑으로 풀썩풀썩 떨어지는 눈더미소리. 깊은 밤 벽 속에서 바람이 살해 당한 추억을 실어 나르고 있다. 그대는 시린 늑골을 감싸 안고 날이 새기만을 기다린다. 지나간 날들이 모두 전생 같다.

138

그러나 울지 마라.

꽃 피는 시절이 있다면 꽃 지는 시절도 있는 법이니 이 세상에 영원한 것이 어디 있으랴.

그대 사랑은 재가 되었다.

박인환의 시 「목마와 숙녀」의 한 구절처럼 '인생은 낡은 잡지의 표지처럼 통속하거늘' 그대는 무엇 때문에 떠나간 시간들을 슬퍼하는 것이냐. 갑자기 한 여자의 이름이 치통 같은 아픔으로 되살아나서 귀를 막고 돌아누워도 날이 새지 않는 젊은 날. 퇴락한 기억의 배면으로 시간이 해체되고 쇠약한 머리맡을 스쳐가는 바람소리. 그대는 불면 속에서 목숨 같은 시어 (詩語)들을 골라 사랑이 죽어 나간 자리에 파종하라.

언젠가는 봄이 오리라. 마침내 그대가 파종한 시어들이 연둣빛 목숨으로 싹트는 날이 도래하리라.

그대가 실연 끝에 시인이 되었다고 하더라도
떠나간 사랑에게는
그대가 쓴 시를 보내지 말라.

139

'아무나 시를 쓸 수는 있어도

아무나 시인이 될 수는 없다'

예전의 시인 지망생들에게는 율법으로 통용되던 말이다.

그러나 오늘날은 아무나 시를 쓰기도 하고 아무나 시인이 되기도 한다.

지금 세상에는 출신불명의 사이비 시인들이 활개를 치고 있다.

그들은 구정물 같은 시를 급조해서 세인들의 영혼을 오염시키고 문학의 가치를 떨어뜨리는 작태를 일삼는다. 뿐만 아니라 세력과 조직을 지방으로까지 확장하고 기득권을 확보하기 위해 정치가를 방불케 하는 작태들을 일삼는다.

그대는 섞이지 말라.

진정한 시인은 아무리 외로워도 패거리를 형성하지 않는 법이다.

140

　예전의 시인들은 '나 보기가 역겨워 가실 때에는 영변에 약산 진달래 꽃'을 아름 따다 가실 길에 뿌리는 낭만을 간직하고 있었다. 예전의 시인들은 '하늘을 우러러 한 점 부끄럼 없기를 잎새에 이는 바람에도' 괴로워하는 영혼을 간직하고 있었다.

　그러나 지금은 무통분만으로 시를 사산하는 시대다. 출신불명의 시인들이 부지기수로 쏟아져 나와 사산된 시들을 함부로 시궁창에다 유기한다.

141

　오늘날의 현실로 진단해 보건대 시인만큼 번식력이 왕성한 지성체는 없을 것이다. 다소 과장되게 표현하면 한 집 건너 한 명씩 시인이 탄생한다. 이러다가는 전국민이 시인이라는 칭호를 가지게 될지도 모른다. 폐인이 많은 세상보다는 시인이 많은 세상이 좋기는 하겠지만 식자들 사이에는 문학 사망설이 전염병처럼 나돌고 있다.

불량 문예지들이 도처에 생겨나서 일 년에 수백 명씩이나 문인들을 양산해 낸다. 수필가도 양산해 내고 시인도 양산해 내고 소설가도 양산해 낸다. 비닐하우스로 짝퉁문인들을 속성재배해서 도매금으로 시중에 출하한다. 그래서 해마다 문인은 풍년인데 문학은 흉년이다.

불량 문예지는 문학보다는 사업에 관심이 많은 집단들이 운영하는 사이비 문인 제조공장이다. 전직 교수들이나 빛을 보지 못한 문인들이 간부로 포진되어 있다. 그들은 돈만 벌 수 있다면 중국산 짝퉁 시인을 다량으로 수입해서 전국에 깔아버릴 수도 있는 위인들이다.

돈벌이에 여념이 없는 사람들이 영변에 약산 진달래를 아름 따다 가실 길에 뿌릴 겨를이 어디 있으며, 하늘을 우러러 한 점 부끄럼 없기를 잎새에 이는 바람에도 괴로워 할 겨를이 어디 있겠는가.

'아무나 시를 쓸 수는 있어도
아무나 시인이 될 수는 없다'

144

저들은 거액의 기부금만 납부하면 누구나 문인으로 등단시킨다. 그리고 자신들이 배출한 문인들에게 자신들의 문예지를 다량으로 구입하기를 종용한다. 명예나 권위 따위의 세속적 욕망 때문에 문학을 열망하는 무리들을 등단이라는 함정으로 끌어들이고 문인이라는 개목걸이를 채워서 앵벌이로 전락시키는 작태도 서슴지 않는다.

145

사이비 문인 제조공장에서 양산된 문인들은 대개 자신이 집필한 수준미달의 원고를 수준이상의 명작으로 착각한다. 하지만 그들은 번식력만 왕성할 뿐 창조력은 전무하다. 사이비 문인 제조공장에서 급조된 시인들은 대개 유치한 하소연도 줄만 적당히 바꾸면 시가 되는 줄 안다. 그래서 한 달에 수십 편씩의 시를 배설하는 기량을 과시한다. 시인이라는 이름의 머리띠를 이마에 질끈 두르고 문학을 오염시키는 역군으로서의 사명을 다하는 것이다.

불량 문예지들이 관리하는 수준미달의 문인들은 어쩌다 불량 문예지로부터 감투라도 하나 얻어 쓰게 되면 기고만장이라는 깃발을 높이 쳐들고 객기를 무슨 지성인 양 남발하는 특성을 가지고 있다. 대중들 앞에서 기분이라도 좀 고조되면 상기된 표정으로 일어나 주위는 아랑곳하지 않고 격앙된 목소리로 자작시를 낭송하는 특질도 보인다. 이쯤에 이르면 대한민국에 자기를 능가할 시인은 아무도 존재하지 않는다. 결과적으로는 세인들에게 인품이 개떡같은 놈도 시인이 될 수 있다는 착각을 유발시키거나 진정한 시인들마저도 시인 대접을 받지 못하게 만드는 만행을 저지르는 것이다.

그대는 섞이지 말라.
진정한 시인은 아무리 외로워도
패거리를 형성하지 않는 법이다.

　지금은 돈이 존경을 받고 시가 천대를 받는 시대다. 억울하지만 결별한 사랑을 돈으로 되돌릴 수는 있어도 시로 되돌릴 수는 없다. 그것이 현실이다.

148

그래도 그대는 시를 써야 한다.

그대를 사이비 시인들과 비교하지 말라. 사이비 시인들은 상습적으로 무통분만의 시를 낙태한다. 엄연한 죄악이다. 하지만 그대에게는 무엇과도 비교할 수 없는 실연의 아픔이 있다. 그것은 그대만의 고통이요 진실이다. 걸음마다 이별이 기다리고 술잔마다 눈물이 고이는 시대. 떠나간 사랑은 저 하늘에 별 하나로 매달아놓고 그대 홀로 참담한 모습으로 시의 숲을 거닐어라.

149

'멋있는 남자 하나 소개시켜 주세요'

여대생 하나가 격외옹을 찾아와 멋있는 남자 하나를 소개시켜 달라고 간청했다.

'어떤 남자가 멋있는 남자인가'

격외옹이 물었다.

'일단 잘 생겨야 하고요. 일류대학 출신에 재력있는 집안, 장남이 아니었으면 좋겠어요. 바람둥이는 싫고요. 저만 사랑해야 돼요. 당연히 안정된 직장을 가지고 있어야 하고요. 가끔은 같이 외식도 하고 영화도 보러 다닐 수 있었으면 좋겠어요. 월수입이 오백 이상은 되어야겠지요. 다정다감한 성격에 근면성실한 남자. 유머감각은 필수고요. 무엇보다도 저와 대화가 잘 통할 수 있어야 해요'

격외옹이 여대생에게 말했다.

'그럼 이제부터는 학생이 그런 남자를 만나기 위해 어떤 소양을 쌓았는지 있는 대로 한번 열거해 보시게'

그러나 여대생은 고개를 숙인 채 아무 말도 하지 못했다.

이성간의 사랑은 단순히 물질적 조건이나 외형적 조건의 부합만으로는 성립되지 않는다. 처음에는 그것들에 의해서 관계를 형성할 수도 있지만 나중에는 정신적 조건이나 내면적 조건의 부합을 갈구하게 된다.

151

실연은 여자에게도 깊은 상처를 남긴다.

여자가 일방적으로 변절을 해서 고무신을 거꾸로 신은 결과라 하더라도 가슴이 아프기는 마찬가지다. 더구나 남자의 변절로 사랑의 종말이 초래되었다면 상처는 거의 치명적이다.

여자는 비극에 약한 성정을 가지고 있다. 결별은 사랑의 종말을 의미하고 사랑의 종말은 존재의 소멸을 의미한다.

떠나간 사랑은

저 하늘에 별 하나로 매달아놓고

그대 홀로 참담한 모습으로

시의 숲을 거닐어라.

152

여자의 경우 실연은 완전한 자기상실을 의미한다.

사랑은 이제 현재진행형이 아니라 과거완료형이다.

실연은 한 남자가 내게서 사라져버린 것이 아니라 내가 한 남자에게서 사라져버린 것이다.

그 사실이 여자를 견딜 수 없게 만든다.

153

어떤 여자들은 실연을 계기로 비만이 시작된다.

거울을 들여다보면 한 남자로부터 사랑을 받던 '이 정도면 썩 괜찮은 미모의 여자'는 간 곳이 없고 자신이 판단하기에도 남자들로부터 외면 당할 수밖에 없는 지방덩어리 하나만 거울 속을 가득 채우고 있다.

미모에 목숨을 거는 것이 여자의 속성이거늘 실연 끝에 비만이라니, 이것은 너무나 가혹한 형벌이다. 거울을 들여다볼 때마다 다시는 사랑을 받지 못할 거라는 두려움이 엄습한다.

비만인 여자의 입장에서 생각하기에는 세상의 모든 존재들이 스트레스를 주기 위해 존재하는 것 같다.

집에서 혼자 책을 읽다가 '돼지'라는 단어만 튀어 나와도 스트레스를 받는다. 그럴 때는 순간적으로 돼지라는 동물이 지구상에 존재한다는 사실조차 저주스럽다. 밖에서 친구들과 대화를 나눌 때도 '지방'이라는 단어만 튀어나오면 스트레스를 받는다. 그것이 비만과는 아무 상관도 없는 '산간지방'이나 '지방대학'에 들어 있는 단어라도 스트레스를 받기는 마찬가지다.

세상은 온통 실연 당한 여자를 고문하는 요소들로 가득 차 있다.

어쩌다 티브이를 켜면, 절묘하게도 '살과의 전쟁'을 벌이는 프로거나 '소문난 맛집'을 소개하는 프로다.

한 남자에게 버림받은 슬픔이 온 세상에게 버림받은 슬픔으로 다가온다.

스트레스가 쌓일 때마다 무엇인가를 먹고 싶은 충동이 슬그머니 치밀어 오른다. 때로는 무심결에 무엇인가를 열심히 집어먹다가, 미쳤나봐, 기겁을 하면서 먹던 음식을 팽개쳐버리기도 한다.

거울을 보기도 두렵고 저울을 보기도 두렵다. 친구라는 년들이 걱정해준답시고 농담조로 '그놈의 살 언제 뺄 거니' 따위의 소리를 내뱉으면 그 자리에서 목이라도 졸라버리고 싶은 충동을 느낀다.

만약 남자에게 다른 여자가 생겨서 파국이 초래된 경우라면 실연의 상
처는 최악이다. 아무리 단세포적인 여자라도 단시일 내에 고통을 벗어던
지기는 힘들다.

'사랑이 무어냐고 물으신다면 눈물의 씨앗이라고 말하겠어요'

흘러간 유행가의 한 소절이다. 젊은이들에게는 생경할 수도 있다. 그러
나 젊은이들에게는 생경할 수도 있는 유행가들이 실연을 하면 새삼스럽게
귀에 들어온다. 한결같이 자신의 처지를 반영하고 있는 것 같다.

'세월이 약이겠지요'

'사랑은 아무나 하나'

'배신자'

실연을 하기 전에 들었다면 가사가 유치해서 닭살이 돋았을 법한 유행
가들이 실연을 하고 나서는 제목부터 폐부를 찌르는 법문으로 느껴진다.

여자는 비극에 약한 성정을 가지고 있다.
결별은 사랑의 종말을 의미하고
사랑의 종말은 존재의 소멸을 의미한다.

157

세상을 살아갈 자신이 없다.

며칠씩 이불을 뒤집어쓰고 훌쩍거리는 일이 일상의 전부다.

때로는 밤거리로 달려나가 양아치 같은 남자라도 하나 유혹해서 철저하게 몸을 유린당해 버리고 싶은 충동에 사로잡힌다.

그러나 실천에 옮기지는 못한다. 자기를 배반한 남자의 가슴을 조금이라도 아프게 만들어주고 싶다는 일종의 보복심리와 그 남자가 조금이라도 자기를 동정해 주기를 바라는 보상심리가 만들어낸 망상일 뿐이다.

158

여자는 실연을 당하고 한 달 정도가 지나면 나이를 열 살 정도는 더 먹어버린 듯한 느낌에 사로잡힌다. 거울을 볼 때마다 자신의 얼굴이 낯설어 보인다. 미용실에 가서 메이크업이라도 받아보고 싶지만 현관 밖으로는 한 발자국도 나서고 싶지 않은 심경이다. 악착같이 예뻐져서 나를 헌신짝처럼 차버린 놈보다 몇 배나 잘난 놈을 만나 보라는 듯이 살아야지, 하면서도 비참한 기분은 어쩔 수가 없다.

159

나는 이제 사랑을 믿지 않는다
망초꽃 지천으로 흔들리는 벌판
그대 모습 보이지 않고
종일토록 구름 한 장으로 머물러
기다리던 젊은 날
나는 이제 그리움도 믿지 않는다
어느새 아름다운 언약들은
망실되고
깊어지는 손금 속으로
저물어가는 세상
선명한 이름은
선명한 상처가 되지만
선명한 상처는
선명한 별이 되지 않는다

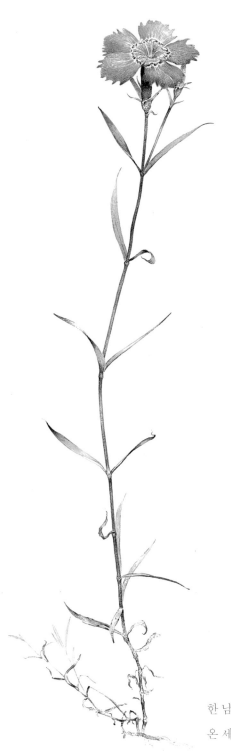

한 남자에게 버림받은 슬픔이

온 세상에게 버림받은 슬픔으로 다가온다.

새들은

물기 어린 음표들을 하나씩 물고

헐벗은 내 영혼의

실삼나무를 떠난다

사랑은

봄밤에 꿈결같이 내리는 함박눈

내려서 탄식같이 스러지는

소망의 비늘이다

(李外秀의 詩 「회복기」 全文)

여자는 대부분 실연의 상처를 통해서 세 가지의 탈피과정을 경험한다. 탈본인(脫本人), 탈여자(脫女子), 탈인간(脫人間). 지금까지 자기가 알고 있던 자기를 탈피하고 지금까지 자기가 알고 있던 여자를 탈피하고 지금까지 자기가 알고 있던 인간을 탈피한다. 탈피하기 전은 번데기에 해당하고 탈피한 후는 나방에 해당한다. 번데기는 고치 속에 갇혀 있는 상태지만 나방은 하늘을 날 수 있는 상태다.

탈피하기 전에는 물질과 외모에만 집착하던 여자도 탈피한 후에는 정신과 내면에 관심을 기울이게 된다. 상념에 빠지는 시간이 많아지면서 인생에 대한 가치기준도 달라지기 시작한다. 조금씩 정체성도 회복된다. 비로소 자아도 무한히 자유로운 세계를 넘나들게 된다.

여자가 어떤 연유에 의해서건 내면적 깊이를 형성하게 되면 저절로 여자로서의 매력이 형성된다. 육안으로 보여지는 육체적 매력이 아니라 심안으로 느껴지는 정서적 매력이다. 전자는 남자의 성적본능을 자극하지만 후자는 남자의 영적본능을 자극한다. 사랑에 있어서도 현격한 차이를 가진다. 출중한 미모를 간직한 여자는 일시적인 사랑으로 끝날 가능성이 높지만 출중한 매력을 간직한 여자는 영속적인 사랑으로 이끌어갈 가능성이 높다.

162

인간은 보편적으로 자신이 겪은 고통에 대해서 시급한 보상이 이루어지기를 갈망한다. 하지만 한평생을 기다려도 보상은 없다. 운명의 여신 밑에서 업무를 수행하는 보험설계사들은 고통 자체를 생존에 대한 보상으로 처리한다. 억울하지만 더 이상의 보상은 없다.

빨리 마음의 안정을 되찾고 싶다면 고통을 겪고 난 다음에 얻어지는 자기성찰 정도를 보너스로 생각하고 생로병사(生老病死), 희로애락(喜怒哀樂)을 오는 그대로 받아들이는 마음의 자세가 필요하다.

163

우주의 본성은 사랑이다.

자연의 본성도 사랑이다.

그대의 본성도 사랑이다.

만우주에 존재하는 것들은 모두 사랑의 이름으로 태어나고 사랑의 이름
으로 소멸한다.

명심하라.

지나친 자존심은 사랑의 천적이다.

사랑만 있다면 어디서 무엇이 되어 살아간들 어떠리.

화천강 물바람에 흔들리는 억새풀도 아름답고 다목리 산그늘에 숨어사
는 바람꽃도 아름답다.

연잎에 구르는 물방울 하나에도 온 하늘이 들어 있건만, 오늘도 부질없
는 시간의 건널목, 그대는 어디에 한눈을 팔고 있는가. 그대의 육안으로
포착한 현상들은 모두가 허상에 불과하다.

165

어느 날 제자 하나가 격외옹에게 물었다.

'닭이 먼저인가요 알이 먼저인가요'

'알이 먼저다'

격외옹이 대답했다.

제자가 다시 물었다.

'왜 알이 먼저인가요'

'나한테는 우주를 닮은 쪽이 먼저다'

격외옹의 답변이었다.

'그럼 저한테는요'

'너한테는 닭이 먼저일 수도 있다'

'왜요'

제자가 의아한 표정으로 물었다.

격외옹은 입가에 장난기를 가득 베어 물고 대답해 주었다.

'국어사전을 찾아보면 〔ㄷ〕이 〔ㅇ〕보다 먼저 나오니까'

166

'새는 알을 깨고 나온다. 알은 하나의 세계다'

데미안의 작가 헤르만 헤세의 말이다.

하나의 세계를 만나기 위해서는 반드시 하나의 세계가 깨져야 한다.

알 속에 갇혀 있을 때는 알 속의 세계가 전부인 줄 안다. 알 바깥에 더 큰 세계가 존재한다는 사실을 모른다. 그래서 알이 깨지는 사태를 두려워한다.

하지만 알 속에는 유한의 세계가 존재하고 알 밖에는 무한의 세계가 존재한다. 무한의 세계로 가기 위해서는 유한의 세계를 버려야 한다. 일단 껍질이 깨지는 아픔을 겪어야 한다. 껍질이 깨지는 아픔을 겪어야 하늘을 비상하는 날개를 얻을 수 있다.

과감하게 현실을 탈피해서 이상에 도달한 사람들은 모두가 껍질이 깨지는 아픔을 겪어본 사람들이다. 껍질이 깨지는 아픔이 두려워 현실에 안주해 있는 사람들은 결코 자신의 힘으로는 하늘을 날지 못한다.

167

현자들은 말한다.

그대가 바로 하늘의 주인이라고.

속인들은 말한다.

변두리 지하 단칸방 주인 노릇도 한 번 못 해본 주제에

하늘의 주인은 무슨 얼어죽을 놈의 하늘의 주인이냐고.

현자들은 고개를 끄덕인다.

변두리 지하 단칸방은 돈이 있어야 주인이 될 수 있고

머리 위의 광대무변한 하늘은 마음이 있어야 주인이 될 수 있다.

하지만 속인들은 고개를 끄덕이지 않는다.

마음 쓰는 법을 모르기 때문이다.

연잎에 구르는 물방울 하나에도
온 하늘이 들어 있건만,
오늘도 부질없는 시간의 건널목,
그대는 어디에 한눈을 팔고 있는가.

168

어떤 이는 마음이 옹달샘이고

어떤 이는 마음이 시궁창이다.

하지만 옹달샘에도 하늘은 비치고 시궁창에도 하늘은 비친다.

때로 인간은 스스로 시궁창에 발을 담그고 있으면서 하늘에 발을 담그고 있는 것으로 착각한다. 그리고 자신의 발이 더러워진 것을 하늘의 탓으로 돌린다.

인간은 편리를 위해서 수많은 기계를 만들어내고 결국 자기들이 만들어 낸 기계 때문에 수많은 불편을 겪는다. 인간은 평화를 유지한다는 명분으로 수많은 조약을 체결하고 결국 자기들이 체결한 조약을 근거로 수많은 분쟁을 만들어낸다.

인간은 지구상에서 가장 불완전한 동물이다. 어떤 물건을 만들어도 문제가 발생하고 어떤 제도를 만들어도 문제가 발생한다. 자연의 완전성과는 거리가 멀다. 순리보다는 욕망이 인간의 의식을 지배하고 있기 때문이다.

정치가들은 순리를 역행하는 대표주자들이다. 그들은 내륙산간지방의 실개천에서도 고래떼가 헤엄칠 수 있도록 만들겠다고 호언장담하는 사람들이다. 당연히 호언장담은 실현되지 않는다. 그러나 그들은 어떤 일이 있더라도 잘못이 고래떼에게 있지 자신들에게 있다고는 말하지 않는다.

욕망의 종류는 다양하다.

물질적인 욕망도 있고 정신적인 욕망도 있다.

이 세상에 존재하는 모든 것들이 욕망의 대상이다.

소유하고 싶은 욕망.

추앙받고 싶은 욕망.

장수하고 싶은 욕망.

파괴하고 싶은 욕망.

창조하고 싶은 욕망.

군림하고 싶은 욕망.

욕망에 사로잡힌 사람에게 여기서 한 가지만 선택하라고 한다면 어떤 반응을 보일까.

한 마디로 그것은 불가능하다.

차라리 발정기의 숫물개가 한 마리의 암물개하고만 교접하기를 바라는 쪽이 훨씬 가능성이 높을 것이다.

욕망은 시간이 지날수록 비대해지는 속성을 가지고 있다. 하나의 욕망을 성취하면 다른 욕망이 고개를 쳐든다. 상한선은 없다. 무엇을 어떤 방법으로 성취해도 부족감이 욕망을 부추긴다.

그대의 육안으로 포착한 현상들은
모두가 허상에 불과하다.

누구나 자기의 인생은 자기가 주인이다. 그러나 욕망을 제어하지 못하면 자기의 인생이라 하더라도 자기가 주인이 되기는 힘들다. 한평생 하인으로 전락해서 욕망을 채우는 일에만 전념하게 된다.

욕망에 사로잡혀 있는 사람들에게 양심이나 체면을 기대해서는 안 된다. 그들은 양심을 믹서로 갈아서 빈대떡을 부쳐 먹은 지 오래고 체면을 회칼로 토막쳐서 매운탕을 끓여 먹은 지 오래다.

양심부재(良心不在).

체면묵살(體面默殺).

안면몰수(顔面沒收).

이른바 욕망에 눈이 먼 사람들이 필수적으로 휴대하고 다니는 '생까기 삼종세트'라는 것이다.

욕망에 눈이 먼 사람들은 대한민국을 민주공화국으로 생각지 않는다. 그들에게는 대한민국이 욕망공화국이다. 대한민국의 주권은 욕망에게 있고 모든 권력은 욕망으로부터 나온다. 그들의 생각대로라면 대한민국은 부정이 일등공신을 만들고 부패가 애국지사를 만든다. 장기간 정신과 치료를 받아야 할 수준이다.

그들은 욕망의 성취를 위해서라면 사기도 가리지 않고 협잡도 가리지 않는다. 폭력도 가리지 않고 방화도 가리지 않는다. 부모도 몰라보고 친구도 몰라본다. 재물 앞에서는 언제라도 인간이기를 포기한다. 하지만 아무리 재물을 먹어 치워도 부족감은 해소되지 않는다. 목숨이 다하는 그날까지도 욕망에 대한 기갈은 계속된다.

세상은 얼마나 썩었을까.

신문이나 티브이에 보도되는 기사들을 보면 이제 동방예의지국(東方禮義之國)은 동방타락지국(東方墮落之國)으로 변해버린 것 같다. 학생이 선생을 폭행했다는 기사가 있는가 하면 자식이 부모를 폭행했다는 기사도 있다.

군사부일체(君師父一體)라는 말에는 임금과 스승과 아버지는 한몸과 같으니 잘 모시라는 뜻이 내포되어 있다. 그러나 오늘날은 군사부일진(君師父一進)이라는 말로 바뀌었다. 임금과 스승과 아버지와 일진이 동격이니 잘 모시라는 뜻이다.

삼강오륜(三綱五倫)에서 삼강을 월드컵 삼강으로 알고 오륜을 올림픽 오륜마크로 아는 젊은이들도 있다. 젊은이들에게는 사서삼경(四書三經)이나 명심보감(銘心寶鑑)이 종이로 제본된 수면제나 라면 받침대 이상의 대접을 받지 못한다.

목사가 신도를 성폭행해서 쇠고랑을 차는가 하면 스님이 신도를 성폭행해서 쇠고랑을 차기도 한다. 사기도박으로 아파트를 날린 가장도 있고 화상채팅으로 가정파탄을 초래한 주부도 있다. 급격하게 정체성이 무너지고 있다.

대한민국의 젊은이들은 정체성이 무너져버린 사회를 배경으로 극심한 패배주의에 빠져 있다. 마치 대한민국을 세계 최악의 후진국이라고 생각하는 것 같다. 외래문화에 대해서는 비교적 점수가 후하고 자국문화에 대해서는 비교적 점수가 박하다.

젊은이들의 외국문화에 대한 동경심은 자국문화에 대한 열등감으로 이어진다.

일본과 전면전을 벌여도 초장에 떡실신을 당할 것이고 북한과 전면전을 벌여도 초장에 떡실신을 당할 것이라고 추정한다. 뿐만 아니라 혐한파로 분류되는 일본 빠돌이들이나 미국 빠순이들까지 합세를 해서 패배주의에 부채질을 한다.

하지만 외국의 군사전문가들은 일본과의 전면전도 북한과의 전면전도 한국의 승리를 장담한다. 한국의 젊은이들만 한국의 패배를 점친다는 것이다.

알고 보면 대한민국에도 세계 제일의 문화와 세계 제일의 제품들이 부지기수다. 어제쯤 인터넷을 개설했다면 몰라도 대한민국 젊은이들이 그 사실을 모를 까닭이 없다. 오래전부터 '대한민국이 세계 일위를 기록하고 있는 것들'이 리스트로 작성되어 각종 커뮤니티를 장식하고 있기 때문이다.

거리에 나가 보면 젊은이들이 즐기는 문화는 거의 다 국적불명이다.

국적불명의 의류. 국적불명의 액세서리. 국적불명의 헤어스타일. 국적불명의 레스토랑. 국적불명의 연주곡. 국적불명의 인테리어. 국적불명의 저녁식사.

젊은이들은 대체로 국산티가 확연한 문화들에 대해서는 거부감을 느끼는 기색이 역력하다.

그러면서도 지극히 한국적인 메뉴로 장사를 하는 분식집이나 스낵코너에 대해서는 대체로 호의적인 반응을 보인다.

현자들은 말한다.
그대가 바로 하늘의 주인이라고.

태극기가 바람에 펄럭일 때 먹는 떡볶이	2000냥
아빠하고 나하고 만든 꽃밭에서 먹는 순대	2000냥
뜸북 뜸북 뜸북새 논에서 울 때 먹는 튀김	1000냥
기찻길 옆 오막살이에서 먹는 라면	1500냥
우리 오빠 말 타고 서울 가시며 먹는 어묵	1000냥
바람이 머물다 간 들판에서 먹는 잔치국수	2000냥
엄마가 섬그늘에 굴 따러 가면서 먹는 김밥	1000냥

어느 대학교 앞에 '아기가 혼자 남아 집을 보는 분식집'이라는 간판이 붙어 있다. 안에 들어서면 동요와 분식의 만남을 시도한 메뉴가 눈길을 끈다. 끼니때면 자리가 모자라 입구에서 한참을 기다려야 한다. 주인은 30대 초반의 미혼남이다.

어디를 살펴보아도 국적불명의 냄새는 풍기지 않는다. 지극히 한국적이다. 젊은 세대의 허영이나 허세를 충족시켜 줄 요소도 보이지 않는다. 젊은이들은 왜 이곳을 좋아하는 것일까. 언제 국적불명으로 기울고 언제 국적회복으로 기우는 것일까.

결론부터 말하면 대한민국의 젊은이들은 대한민국이라는 나라를 싫어하는 것이 아니다. 한 마디로 대한민국이라는 나라를 부조리 투성이로 만들어버린 기성세대에 염증을 느끼고 있는 것이다. 기성세대의 냄새가 묻어 있는 것이라면 문화고 나발이고 무조건 거부감부터 생기는 것이다.

그대가 남자라면
외모지상주의나
물질만능주의에 사로잡혀 있는
여자들을 경계하라.

통조림에 대해서 경배하라(통조림이 훈계한다) 어차피 그대가 기다리는 세상은 오지 않는다 통조림이 되는 일만이 성불이다 영광이다 애국애족이다 세상이 아무리 부패해도 통조림은 결단코 부패하지 않는다(나는 먼 산을 바라본다) 생명에 절대가치를 부여하지 말라 만물은 통조림이 되기 위해서 존재할 뿐 가죽을 벗겨내지 않으면 뼈를 발라내지 않으면 내장을 뽑아내지 않으면 어찌 통조림을 만드나 눈물은 비천하다 통조림은 거룩하다 (산 너머로 해가 진다) 이제 세상은 온통 통조림으로 가득 차 있다 통조림이 통조림을 만들고 통조림이 통조림을 먹는다(어둠이 성큼성큼 내 앞으로 걸어오고 있다) 영혼의 존재를 믿지 말라 그대가 애송하는 시들도 통조림이 되었고 그대가 숭배하는 신들도 통조림이 되었다 아는가 단지 통조림이 되지 못한 그대 하나 때문에 아직도 세상이 완전무결하지 않다는 사실을(객석을 가득 메운 통조림들을 향해 나는 씨팔이라고 소리친다 황급히 막이 내린다)

(李外秀의 詩 「나는 왜 통조림만 보면 화가 날까」 全文)

하지만 가치관이 붕괴되고 정체성이 와해되는 현상은 기성세대의 잘못이 아니다. 물론 젊은 세대의 잘못도 아니다.

세계를 보라.

시대에 따라 세태가 변하지 않는 나라는 없다. 속도의 차이는 있지만 모든 나라가 변화에 동조하고 있다. 인터넷과 티브이의 영향을 받아 외래문물이 무제한으로 유입되는 시대에 전통만을 붙잡고 있기를 바라는 것은 언어도단이다.

학문탐구를 떠나 항문탐구의 양상을 보이고 있는 교육만 개선된다면 대한민국은 분명 세계 속에서 문화강대국으로 추앙받는 나라로 급부상할 수 있다. 국민들은 그럴 만한 잠재력을 충분히 간직하고 있다. 다른 나라 사람들도 그 점은 인정한다.

대한민국의 교육은 그러지 않아도 머리가 비상한 국민에게 어릴 때부터 제도적으로 머리를 쓰는 법만 가르친다. 마음을 쓰는 법은 가르치지 않는다. 오로지 경쟁에서 이기는 법만 가르친다. 스포츠에서도 국가대표들은 금메달을 따야만 만족스러운 웃음을 보여준다. 은메달이나 동메달은 패배의 기록이 있기 때문에 완전한 승리가 아니라고 생각한다.

다른 나라 선수들은 동메달만 따도 난리법석이다. 그러나 한국선수들은 은메달을 따고도 풀이 죽어 있다. 외국선수들로서는 도저히 납득할 수 없는 현상이다.

항문탐구에 의해서 양성된 학생들은 졸업과 동시에 본격적인 경쟁체제에 돌입한다. 무조건 경쟁에서 이겨야 한다는 일념으로 출세의 발판을 다지는 일에 전심전력을 기울인다. 남들은 신경쓰지 않는다. 각자가 알아서 잘 살면 된다고 생각한다.

범법을 저지르더라도 줄곧 머리만 쓰면서 살았기 때문에 법망 따위는 헐렁하게 빠져 나갈 수 있다. 감히 어느 나라 사람들이 그 역량을 넘볼 수가 있단 말인가. 마음 쓰는 법은 가르치지 않았기 때문에 범법을 저지르고도 양심의 가책 따위는 느끼지 않는다.

목숨이 다하는 그날까지도
욕망에 대한 기갈은 계속된다.

하지만 세상의 부조리를 교육이 전적으로 책임져야 한다는 뜻은 아니다. 세상의 부조리는 복합적인 요인에 의해서 발생하며 사회 전체가 책임을 져야 한다. 다만 교육이 개혁에 앞장을 서야만 정상적인 사회를 기대할 수 있다는 뜻이다.

물론 가장 책임을 통감해야 할 사람들은 정치가들이다. 가장 개혁에 앞장서야 할 사람들도 정치가들이다. 그들은 국민의 대표들이며 법적 책임자들이다. 그러나 정치가들에게는 정상인으로의 사고를 기대하지 말아야 한다. 소련의 정치가 후르시초프의 말을 빌면, 정치가들은 강이 없는데도 다리를 놓아야 한다고 주장하는 사람들이다. 다리를 놓은 다음에 국민들이 무용지물이라고 아우성을 치면 세금을 더 걷어서 강을 만들어야 한다고 주장한다. 정치가들은 결과적으로 국민들의 평안을 빙자해서 국민들의 고충을 배가시키는 사람들이다.

185

대한민국 현대사회는 문화적 혼란기에 접어 들었다. 외래문물이 무제한으로 쏟아져 들어와 시장을 장악하고 전통문물의 존립을 뒤흔들어 놓는다.

다양한 분야에서 국적불명의 문화가 창출된다. 음식에서도 퓨전이 유행이고 예술에서도 퓨전이 유행이다. 미술에서는 화선지와 파스텔이 밀애에 빠지고 음악에서는 가야금과 피아노가 열애에 빠진다.

견고한 전통으로 의식을 무장하고 살아오신 분들은 이러한 현상을 나라가 망할 징조로 백안시한다. 하지만 두루마기를 걸치고 할리데이비슨을 탄다고 백두대간이 그랜드캐년으로 변하지는 않는다.

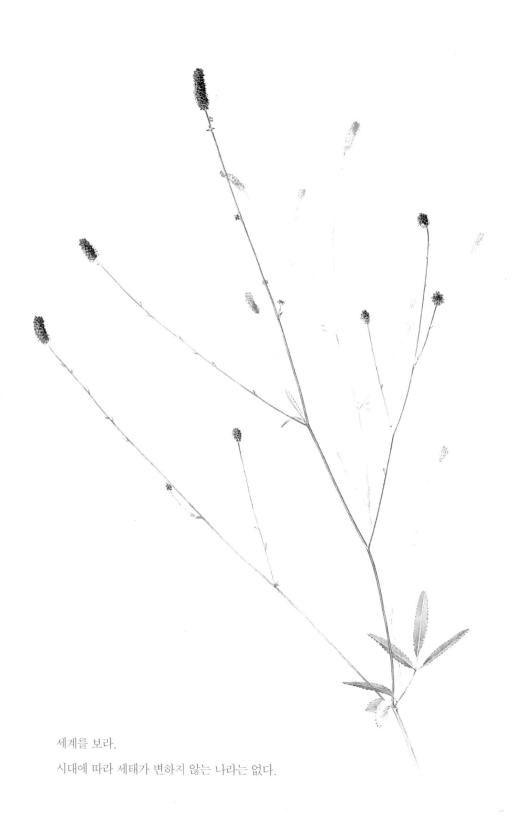

세계를 보라.

시대에 따라 세태가 변하지 않는 나라는 없다.

소비의 중심에는 언제나 여자가 있다. 실내를 한번 눈여겨 살펴보라. 화장품. 싱크대. 전자렌지. 세탁기. 전기밥솥. 냉장고. 고가의 제품들은 모두 여자의 편리를 위해 만들어진다. 남자의 편리를 위해 만들어진 제품은 전기면도기 정도가 고작이다. 공동으로 사용하는 제품도 디자인 면에서나 실용적인 면에서 고찰하면 여자들의 취향을 절대적으로 반영한 흔적이 역력하다.

여자들의 소비성향은 경제에 막대한 영향을 미친다. 여자들의 소비성향이 하향곡선을 그리면 당연히 경제도 하향곡선을 그리게 된다. 경제가 하향곡선을 그리게 되면 남자들의 활력도 하향곡선을 그리게 된다. 그러니까 여자의 소비성향은 절대적으로 필요한 것이다.

문제는 허영이다.

여자들의 허영은 과소비를 부추기고 과소비는 결국 패가망신을 불러들인다. 허영에 대한 남자들의 거부감은 정당하다.

하지만 여자들은 남자들의 거부감이 정당하지 않다고 항변한다. 자신의 소비성향이 허영 때문이 아니라고 생각하기 때문이다.

남자들은 믿지 않겠지만 여자들의 항변은 진실이다. 사실 여자들의 잠재의식 속에 숨어서 은밀하게 소비성향을 부추기는 괴물은 허영이 아니다. 허영이 아니라 불안이다.

189

여자는 불안에 민감하다.

여자의 잠재의식 속에는 사회로부터 억압과 종속을 강요 받으면서 살아온 정보가 내장되어 있다. 여자는 사회의 강요에 따라 활동의 영역이 제한되고 체험의 영역이 협소할 수밖에 없었다. 어떤 위기상황이 닥치면 자력으로 해결할 방법이나 능력을 배울 기회가 없었으므로 항시 불안을 치마끈처럼 두르고 살아야 했다. 감각만이 여자의 유일한 무기이자 방패였다.

그대가 남자라면 여자가 시대의 변화에 급속도로 동화되는 현상을 탄식
하지 말라. 여자는 항시 불안으로부터 재빨리 도망치고 싶어하는 심리를
간직하고 있다. 시대의 변화에 동화되지 못할 때 여자는 막연한 불안을 느
낀다.

남자는 두뇌로 상황을 판단하고 대처하지만 여자는 감각으로 상황을 판
단하고 대처한다. 두뇌는 느리지만 감각은 빠르다. 시대의 변화에 대한 재
빠른 동화현상은 여자들의 불안에 대한 방어기제다. 여자의 불안을 이해
하지 못하는 남자라면 여자에게 사랑을 기대할 자격도 없다.

사실 여자들의 잠재의식 속에 숨어서
은밀하게 소비성향을 부추기는 괴물은
허영이 아니다.
허영이 아니라 불안이다.

여자는 자기와 결혼할 남자가,

재력,

외모,

학벌,

가문,

종교,

성격,

면에서 가급적이면 높은 급수를 유지하고 있어야 한다고 생각한다.

허영과는 무관하다. 여자가 제시하는 조건 속에도 가급적이면 불안으로부터 멀리 떨어지고 싶어하는 심리가 도사리고 있다. 조건 중에서 한 가지라도 결여되면 그만큼 불안해질 가능성이 높아진다고 생각한다.

그러나 여자는 결혼을 전제로 할 경우 자기를 최우선 순위로 삼지는 않는다. 여자의 최우선 순위는 자기가 아니라 자기의 사랑이다. 자기가 불안한 것은 견딜 수 있어도 자기의 사랑이 불안한 것은 견딜 수 없다고 생각한다. 따라서 여자는 자기가 바라는 조건들이 자기의 사랑을 불안으로부터 수호해 주는 울타리가 될 수 있기를 소망한다.

격외옹도 컴퓨터를 한다.

반선반속의 공간 화천군 상서면 다목리 감성마을에도 인터넷이 가능하다.

어떤 대학생이 이메일로 격외옹에게 물었다.

'옛날 젊은이들과 요즘 젊은이들의 차이점을 한 마디로 요약해서 말씀해 주십시오'

격외옹은 즉시 답메일을 전송했다.

'주경야독(옛날)

주경야동(요즘)'

그러나 빠르고 친절한 답변에 감사드린다는 메일은 오지 않았다.

193

여자는 사랑을 느끼지 못하는 남자에게서 자동차 한 대를 선물로 받았을 때보다 사랑을 느끼는 남자에게서 장미꽃 한 송이를 선물로 받았을 때 더 큰 감동을 느낀다.

그러면서도 어떤 여자는 장미꽃을 선물한 남자를 버리고 자동차를 선물한 남자와 결혼한다. 그것은 장미꽃이 자동차보다 더 많은 불안요소를 내포하고 있다고 판단했기 때문이다.

194

때로 빼어난 미모를 간직한 여자가 못생긴 남자에게 호감을 느끼는 경우가 있다. 심지어는 주변의 만류를 무시해 버리고 적극적인 유혹을 펼치는 경우도 있다. 역시 심리 저변에 도사리고 있는 불안 때문이다.

빼어난 미모를 간직한 여자일수록 배반에 대한 불안을 견디지 못하는 특성을 가지고 있다. 하지만 못생긴 남자는 안심이다. 다른 여자들로부터 유혹을 받을 확률이 적을 뿐만 아니라 평생 자기만을 사랑할 것이라는 확신을 준다.

195

바람둥이들은 대개 여자의 불안을 재빨리 간파하고 뛰어난 화술로 여자를 안심시키는 능력을 가지고 있다. 바람둥이라는 사실을 알면서도 여자들이 유혹에 넘어가는 이유가 거기에 있다. 사실 여자가 경계해야 할 괴물은 불안이라는 괴물이 아니라 안심이라는 괴물이다. 여자는 불안 때문에 몸을 망치는 경우보다 안심 때문에 몸을 망치는 경우가 훨씬 더 많다.

196

인간은 모두가 자기완성을 위해서 태어난다.

달라이 라마는 스물한 번씩이나 다시 태어난 사람이다.

하지만 대다수의 인간이 한평생 자기가 태어난 이유를 모르는 상태로 욕망의 노예가 되어 인생을 소진한다. 태어나서 죽을 때까지 진정한 사랑은 한 번도 못 해보고 온 생애를 투쟁으로 일관하는 인생도 있다.

화엄경에 의하면 일천 겁의 인연을 거쳐 한 나라에 태어나고 이천 겁의 인연을 거쳐 하룻길을 동행한다. 몇천 겁 인연을 거쳐 지구에 태어나서 대저 사랑밖에 할 일이 더 있겠는가.

여자의 불안을

이해하지 못하는 남자라면

여자에게 사랑을 기대할 자격도 없다.

지구에는 다양한 생명체들과 다양한 무생물들이 조화롭게 공존하고 있다. 밤하늘을 쳐다보면 태양계 바깥에 존재하는 별들까지 보인다.

만물은 저마다의 특성과 아름다움을 간직한 스승들이다. 저마다의 특성과 아름다움을 간직하고 있다는 뜻은 저마다의 가치와 사랑을 간직하고 있다는 말과 동일하다.

사랑은 인간을 가장 빨리 자기완성에 도달하게 만드는 감정이다. 동서고금의 성현들이 남긴 행적과 가르침들을 요약하면 '사랑' 두 음절만 남게 된다.

198

사랑은 아름다움을 만들고 아름다움은 사랑을 만든다.
결코 어려운 등식이 아닌데도 인간들은 가끔씩 헛다리를 짚는다.

199

아름다움에는 외형적인 아름다움과 내면적인 아름다움이 있다. 외형적인 아름다움은 일시적이고 내면적인 아름다움은 영속적이다. 사랑도 마찬가지다. 외형적인 아름다움에서 비롯된 사랑은 시간이 지나면 변질되거나 퇴락한다. 그러나 내면적인 아름다움에서 비롯된 사랑은 아무리 시간이 지나도 변질되거나 퇴락하지 않는다.

몇천 겁 인연을 거쳐
지구에 태어나서
대저 사랑밖에
할 일이 더 있겠는가.

200

사랑에도 크기가 있다.

소주잔만한 사랑이 있는가 하면 김칫독만한 사랑도 있다.

개여울만한 사랑이 있는가 하면 태평양만한 사랑도 있다.

인간의 경우 사랑의 크기는 자신이 간직하고 있는 마음의 크기와 정비례한다.

인간이 간직하고 있는 마음의 크기는 자기 내부에 무엇을 키우느냐에 따라 달라진다. 미움과 이웃하는 감정들을 키우는 동안에는 마음이 한정 없이 협소해지고 사랑을 이웃하는 감정들을 키우는 동안에는 마음이 한정 없이 광대해진다.

사랑은 아름다움을 만들고
아름다움은 사랑을 만든다.

어느 날 문하생 하나가 격외옹에게 물었다.

'염화시중이라는 말 속에 들어 있는 참뜻을 제것으로 만들려면 어떻게 해야 하나요'

'오늘은 코스프레로 가르쳐주겠다'

격외옹은 문하생을 집필실에 앉혀두고 혼자 밖으로 나갔다.

잠시 후에 노승처럼 회색 누더기를 걸치고 집필실로 돌아온 격외옹이 가부좌를 틀고 앉아 문하생에게 천천히 한 손을 들어 보였다.

활짝 핀 상사화 한 송이가 등불같이 환하게 허공을 밝히고 있었다.

'무엇이 보이느냐'

격외옹이 물었다.

'꽃이요'

문하생이 대답했다.

'무슨 꽃이냐'

그러나 문하생은 대답하지 못했다.

'이름 따윈 몰라도 상관이 없다'

'그럼 무엇을 알아야 하나요'

'이 꽃이 어떤가를 말해라'

'예뻐요'

그러자 격외옹이 만면에 미소를 떠올리며 이렇게 말했다.

'더 이상은 없다'

밖에서 갑자기 매미들이 맞장구를 치듯이 요란하게 울어대기 시작했다.

203

　사랑은 결국 온 생애를 다 바쳐 아름다움의 반대말이 없다는 사실을 깨닫는 것이다.

　그뿐이다.

◆ 이 책에 담긴 모든 야생화들

여자도 여자를 모른다

초판 1쇄 2015년 11월 25일
초판 35쇄 2017년 2월 5일

지은이 | 이외수
그린이 | 정태련
펴낸이 | 송영석

펴낸곳 | (株)해냄출판사
등록번호 | 제10-229호
등록일자 | 1988년 5월 11일(설립일자 | 1983년 6월 24일)

04042 서울시 마포구 잔다리로 30 해냄빌딩 5·6층
대표전화 | 326-1600 **팩스** | 326-1624
홈페이지 | www.hainaim.com

ISBN 978-89-7737-845-6

우주의 본성은 사랑이다.
자연의 본성도 사랑이다.
그대의 본성도 사랑이다.